LA PARENTHÈSE
LIBÉRALE

JEAN-BAPTISTE NOÉ

LA PARENTHÈSE LIBÉRALE

Dix-huit années
qui ont changé la France

CALMANN
LÉVY

COUVERTURE
Maquette : Coco Bel Œil
Photographies : © Aisa / Leemage (Jean-Baptiste Say) ;
© Photo Josse / Leemage (Louis-Philippe, François Guizot et Casimir Perier) ;
© DeAgostini / Leemage (Alexis de Tocqueville)

ISBN 978-2-7021-6360-3

Introduction

Une tentative de parenthèse libérale

La monarchie de Juillet ne fut-elle qu'une parenthèse dans l'histoire de France, un régime parmi d'autres au sein d'un XIXe siècle qui en compta neuf ? Alors que la France avait le régime politique le plus stable d'Europe, une monarchie héréditaire de quelque mille ans d'histoire qui faisait l'admiration des autres pays, la Révolution ouvrit l'époque des incertitudes. De 1789 à 2018, ce sont dix-sept régimes politiques qui se sont succédé en France, tour à tour empires, républiques, monarchies, dictatures, avec plus ou moins de parlementarisme, plus ou moins de présidentialisation. La France s'est essayée à l'homme providentiel comme à l'anonymat des grandes assemblées, au contrôle strict de l'Assemblée nationale et au bicamérisme. Son instabilité détonne dans le paysage politique européen, surtout dans un XIXe siècle relativement stable, avec de grands empires, des royaumes et des principautés bien établis. La monarchie de Juillet débute à l'aune d'une révolution parisienne qui chasse un roi faible et se clôt par un autre mouvement de foule, toujours à Paris, qui défait un roi affaibli par l'âge et la mort de son fils aîné. La Révolution française plane au-dessus de la France depuis 1789, héritage trop lourd et trop encombrant que chaque régime tente à son tour de clore pour passer à autre chose, mais une révolution qui n'est jamais finie et qui est toujours à achever. C'est Alexis de Tocqueville, dans *L'Ancien Régime et la Révolution*, qui a le mieux compris cet événement historique et ses conséquences. La Révolution accomplit l'œuvre de centralisation des rois, concentre les pouvoirs politiques entre les mains du dirigeant du pays, étouffe et supprime les libertés locales, notamment communales. Loin d'être une rupture d'avec l'Ancien Régime, elle en est l'aboutissement et l'accomplissement. Mais ce qu'elle apporte de nouveau, c'est la passion égalitaire. Couplée à la jalousie de voir les autres réussir là où l'on a échoué, la passion de l'égalité ronge les Français et enflamme les esprits. L'égalité est préférée à la liberté, en dépit de la devise républicaine et de ce qui est ânonné comme une France pays de la liberté. L'égalité préfère la servitude, pourvu que les esclaves soient égaux. Ce combat pour l'égalité est mené tout au long du XIXe siècle. Il voit naître la doctrine socialiste dans les années 1830-1840, qui finit par s'imposer partout et à tous, y compris aux mouvements qui se disent « de droite », étouffant ainsi la pensée des libéraux. Il triomphe au XXe siècle avec l'affirmation de l'État-providence et la victoire de la social-démocratie, rejetant le libéralisme avec les doctrines honnies de l'histoire, celles des vaincus.

QUE FAIRE DE LA RÉVOLUTION ?

Louis-Philippe est un homme du XVIIIe siècle, éduqué en aristocrate de son temps pour être un grand prince, mais que le futur ne destinait nullement à devenir roi. Homme du XVIIIe, il en porte la liberté de ton, la curiosité scientifique, la passion du mouvement, mais dans le respect de l'ordre et une conscience de classe aristocratique. Son père est une des victimes de la Révolution après en avoir été l'un des moteurs : Philippe d'Orléans ayant voté la mort du roi, son cousin, il est détesté par les monarchistes, ce qui ne l'empêche pas d'être arrêté et guillotiné en 1793. Comme la plupart des nobles français, Louis-Philippe part en exil et passe une partie de sa vie en dehors des frontières françaises. Il en conserve un amour de son pays et une volonté aussi d'y apporter le meilleur de ce qu'il a vu à l'étranger, notamment en Angleterre. Ayant réussi sa *Glorious Revolution* en 1689, l'Angleterre est pour beaucoup un modèle. Une monarchie parlementaire où les pouvoirs du roi équilibrent ceux des députés, où la liberté est défendue devant l'égalité, où le progrès économique est certain et la modernité technique en marche. Louis XVIII et Louis-Philippe la prennent comme modèle pour la France. Mais la question de la Révolution demeure et reste en suspens. Que faire de ces dix années qui ont bouleversé la France, qui ont apporté des espoirs, des changements salutaires, des réformes différées, mais aussi des massacres, des guerres civiles et une conquête de l'Europe dont plus personne ne veut hormis quelques républicains bellicistes et nationalistes ? Il faut en garder le meilleur et en rejeter le pire. Si cette volonté politique est simple sur le papier, elle est beaucoup plus compliquée à mettre en œuvre.

LA FRANCE ET L'EUROPE

La France est déchirée, et l'action principale de la monarchie de Juillet est de tenter de la réconcilier avec elle-même. Les nostalgiques de l'Empire et du rêve napoléonien, les rêveurs de la monarchie de toujours, les utopistes de la République sociale, les pragmatiques de la bourgeoisie qui veulent avant tout la stabilité pour faire avancer leurs affaires. Dans une France divisée et fracturée, Louis-Philippe se veut au-dessus des passions et cherche à restaurer l'unité d'un peuple. C'est la voie du juste milieu, ou comment associer deux sujets sur trois.

Le nouveau roi des Français cherche aussi à replacer la France au cœur du concert des nations européennes. Durablement marquée par les défaites de l'Empire et celle de Waterloo (1815), affaiblie par les conditions du traité de Vienne signé après le retour puis la défaite de Napoléon, la France est mise à l'écart de l'Europe et rejetée par les grands, elle qui donnait le *tempo* au continent depuis la guerre de Cent Ans. Déjà Louis XVIII avait tenté de reprendre pied dans le concert des nations. Louis-Philippe poursuit cette politique. Cela passe par la réconciliation avec l'Angleterre – comme le fit plus tard Charles de Gaulle avec l'Allemagne –, le couple franco-anglais devenant le moteur de la paix. Cela passe aussi par la défense difficile de la stabilité en Europe et des droits des rois et, simultanément, du droit des peuples et des minorités. En dehors de l'Europe, la grande question est celle de l'Orient, ouverte en 1798 par Bonaparte et sa victoire en Égypte. Sur le chemin de l'Orient, la France rencontre l'Angleterre, la Russie et l'Empire ottoman. Elle doit mener une politique arabe difficile en Algérie, au Maroc, au Levant et en Égypte. Des thèmes qui ont des résonances avec nos défis actuels. Un dossier plutôt bien maîtrisé et qui fut poursuivi par Napoléon III, avant que la période coloniale ne fasse entrer la diplomatie française dans une autre logique.

Ces dix-huit années surprennent par la qualité du personnel politique. Louis-Philippe a tour à tour comme ministres, chefs de gouvernement ou députés des hommes aussi intelligents, brillants et divers que François Guizot, Adolphe Thiers, Victor de Broglie, Casimir Perier, Alexis de Tocqueville, Jacques Lafitte, Horace Sébastiani et ses fils, le duc d'Orléans et le duc de Nemours, pour ne citer que les principaux. Connaît-on une époque qui ait réuni un personnel d'une telle qualité, des hommes mêlant la capacité de la réflexion intellectuelle à celle de l'action politique ? La plupart sont des auteurs à succès, beaucoup sont d'ailleurs historiens, et leurs écrits ont marqué des générations d'étudiants et de penseurs. La liberté politique de ce régime est aussi le fruit de la liberté de pensée et d'analyse des ministres qui en sont aux commandes. Hormis Thiers, la plupart d'entre eux arrêtent leur carrière en 1848 avec le renversement de Louis-Philippe. Mais, durant cette période, ils n'ont pas été que de simples hommes politiques. Ils sont aussi chefs d'entreprise, militaires, diplomates, professeurs ; le service de l'État étant conçu comme la continuité de leurs activités professionnelles et intellectuelles. Ils sont loin d'être des fonctionnaires appliqués à grenouiller à vie dans les ministères et à occuper des charges électives. Ces hommes défendent tout à la fois la liberté politique et la liberté économique, comprenant que les deux vont de pair. C'est là le tragique paradoxe de la vie politique. Si la France connaît près d'une dizaine de régimes différents entre 1795 et 1890, la vie économique et le développement des entreprises semblent se faire de façon indépendante face aux aléas politiques.

LES TRANSFORMATIONS ÉCONOMIQUES

La France fut le berceau de ce que l'on nomme à tort la révolution industrielle. Dès le début du XVIIIᵉ siècle, elle voit apparaître et se développer sur son sol des inventeurs et des entrepreneurs, nobles pour la plupart, qui se lancent dans la sidérurgie, le commerce et le développement agricole. Ce sont les Solages dans les mines de charbon de Carmaux, les Wendel dans celles de fer en Lorraine, c'est Oberkampf et sa toile de Jouy, Nicolas Canson et ses papiers, Christofle et ses couverts en argent, Louis Thénard et l'eau oxygénée, les frères Montgolfier et le premier vol en ballon. À cette liste non exhaustive, il est possible d'ajouter les explorateurs : Bougainville, La Pérouse et Louis XVI qui, sans sortir de son bureau, dressa les cartes des expéditions maritimes. En 1780, l'avance technique et économique de la France sur les autres pays d'Europe est indubitable. La Révolution brise cet essor. Dix ans de guerres civiles suivies de quinze ans de guerres napoléoniennes sapent l'économie. Les savants et les chefs d'entreprise sont chassés ou exécutés. Dupont de Nemours s'enfuit aux

États-Unis, où l'entreprise qu'il fonda est aujourd'hui l'une des premières mondiales dans son domaine, Antoine de Lavoisier fut guillotiné en 1794. Beaucoup se réfugièrent en Angleterre, ce qui permit à ce pays de connaître un essor économique majeur et d'apparaître au début du xixᵉ siècle comme la première puissance économique d'Europe. Pendant cinquante ans, la France n'a alors cessé de lui courir après, arrivant à la rattraper seulement sous le Second Empire. Les choix agrariens de la IIIᵉ République et l'établissement du pacte colonial ont ensuite provoqué un nouveau retard pour le pays, qui ne s'est soldé qu'au milieu des années 1960.

La monarchie de Juillet connaît un développement économique certain qui n'est que le début d'un phénomène se poursuivant sous Napoléon III. Développement des voies ferrées, amélioration des routes et des canaux, essor du système bancaire, début de la mécanisation de l'agriculture et de l'industrie, développement de l'édition et du secteur textile, le chemin économique emprunte la voie de la modernité et de la productivité. Cela permet une baisse des prix, une amélioration des conditions de vie, un enrichissement global de la population et une sortie de la pauvreté. Autant de phénomènes dus à l'essor de la productivité et qui ont davantage fait pour lutter contre la pauvreté et le paupérisme que toutes les lois sociales votées par les députés. Là réside le grand malentendu des Français et de leur classe politique. Comme le faisait remarquer Jean Fourastié, le progrès social ne se fait pas à coup de lois ou de directives. La réduction de la pauvreté et l'augmentation du pouvoir d'achat ne se décident pas par décret. C'est de l'accroissement de la productivité que viennent le progrès économique et social, le développement des richesses et la réduction des inégalités. Sur ce point-là, la politique est inutile, si ce n'est qu'elle peut entraver le développement du progrès économique par des mesures excessives de réglementation et de contrôle. Erronée aussi la pensée des socialistes qui considèrent que l'économie est un jeu à somme nulle et que les riches le sont parce qu'ils ont volé les pauvres, deux catégories mystiques qui ne sont jamais définies. C'est le progrès technique qui permet l'égalisation des revenus, ce qui renvoie au caractère mythologique de la redistribution égalisatrice comme au rôle du politique dans l'essor du progrès social. Non seulement la redistribution sociale est inefficace, mais elle est aussi injuste puisqu'elle se fonde sur la spoliation des biens légitimement acquis et gagnés par ceux qui travaillent et investissent. La justice sociale ne s'atteint pas par des moyens politiques, juridiques ou moraux, mais par des moyens techniques. C'est la croissance économique qu'il faut poursuivre pour développer la justice sociale. Or, cette croissance économique est permise par deux choses : le développement intellectuel

du pays par l'essor de l'éducation primaire et supérieure, et la liberté d'innovation, d'entreprise et de
pensée. Si l'égalitarisme nuit à la liberté, la liberté est
en revanche le fondement de l'égalité sociale et culturelle des membres d'un même pays. C'est ce qu'avait
bien perçu Tocqueville dans sa *Démocratie en Amérique*,
lui qui expliquait déjà que la démocratie n'était pas tant
un système politique qu'un état social dans lequel il y a
une égalité des conditions de vie, égalité permise par la
liberté et le respect du droit.

LA PRIMAUTÉ DU DROIT

C'est là le combat principal des libéraux. Le libéralisme n'est pas une doctrine économique, c'est une
pensée du droit. Ce qui a des conséquences politiques,
économiques et culturelles. C'est l'idée de la primauté
du droit dans le fonctionnement de la société, avec le
fait que la loi soit la même pour tous et qu'il y ait une
séparation des pouvoirs entre l'exécutif, le législatif
et le judiciaire. La primauté du droit garantit le faible
contre la violence du fort. Elle garantit aussi la propriété privée, qui est le fondement d'une société libre.
La propriété privée est antérieure à la loi positive, elle
est du ressort du droit naturel et donc consubstantielle
à l'homme. C'est là tout le sens de l'œuvre de Frédéric

Bastiat, qui n'a cessé de défendre la reconnaissance du rôle primordial de la propriété : « La Propriété existe avant la Loi ; la loi n'a pour mission que de faire respecter la propriété partout où elle est, partout où elle se forme, de quelque manière que le travailleur la crée, isolément ou par association, pourvu qu'il respecte le droit d'autrui. » La défense de la propriété étant la garantie de la liberté des hommes : « La propriété, le droit de jouir du fruit de son travail, le droit de travailler, de se développer, d'exercer ses facultés, comme on l'entend, sans que l'État intervienne autrement que par son action protectrice, c'est la liberté. » C'est parce qu'une société est fondée sur le droit qu'elle garantit ensuite les libertés publiques et politiques et qu'elle protège les plus faibles. C'est parce que le droit est stable et constant qu'il permet aux entrepreneurs d'innover et d'investir, et donc de contribuer à améliorer la société, à enrichir les populations et à restreindre la pauvreté. Les Français n'aiment pas vraiment ni leurs entreprises ni leurs chefs d'entreprise, alors qu'ils leur doivent une grande partie de la puissance diplomatique et politique de leur pays, et le confort de leurs conditions de vie.

Le respect de ce droit permet le rendement de ce que l'économiste péruvien Hernando de Soto nomme le « capital vivant », par opposition au « capital mort ». Son maître livre, *Le Mystère du capital* (2005), a mis en lumière le fait que la pauvreté des populations des pays sous-développés est due à l'impossibilité de ces populations de mettre en valeur les biens possédés à cause de l'absence de normes juridiques. L'addition de tous leurs biens forme un capital majeur, mais qui reste mort à cause de l'absence du droit et de la garantie de la propriété privée. Ces travaux contemporains valident la thèse portée cent cinquante ans plus tôt par des auteurs comme Guizot, Tocqueville ou Bastiat. La force de la monarchie de Juillet fut d'avoir fait respecter le droit et d'avoir eu de l'État une conception limitée dans l'action permettant la subsidiarité des acteurs locaux, comme en témoignent notamment les actions en faveur de la liberté scolaire menées par François Guizot.

LA PROFUSION CULTURELLE

La monarchie de Juillet s'illustre aussi par sa profusion culturelle. Époque du second romantisme, elle voit l'éclosion de jeunes artistes qui deviennent des talents confirmés et les classiques d'aujourd'hui. Balzac, Hugo, Dumas, Delacroix, pour ne citer que les principaux, sans omettre le foisonnement musical porté par Chopin, Liszt ou Auber. Le bouillonnement de la vie intellectuelle et artistique témoigne du respect de la liberté. Il n'y a pas d'art dans un régime où il n'y a pas de liberté. On cherche en vain les grands auteurs, les grands peintres ou les grands musiciens sous Napoléon Ier et sous la Révolution. Quand la guillotine ou l'exil couronnent les œuvres, il y a peu de place pour Condorcet et Chateaubriand. Ces jeunes auteurs de Juillet sont encore lus et étudiés aujourd'hui, en France et dans le monde. Ils prouvent que la puissance d'un pays ne passe pas uniquement par le succès des armes et de la diplomatie, mais aussi par sa culture et son influence intellectuelle. Même si tous ne furent pas des adeptes de Louis-Philippe, c'est en partie grâce à lui qu'ils purent écrire et publier librement, grâce à sa magnanimité et sa libéralité. Louis-Philippe a toujours défendu la liberté de la presse et l'a permise dès son accession au trône, même si ensuite la presse a pu l'attaquer violemment et participer à sa chute. La profusion culturelle, ce sont aussi le goût de l'Orient, la découverte de nouveaux pays et de nouvelles civilisations, la passion naissante de l'archéologie, facilitée par la plus grande rapidité des voyages et le début de la découverte du monde. C'est là la marque de la curiosité de l'Europe pour les autres cultures et les autres civilisations, la volonté de les comprendre et de les faire partager. L'esthétique va de pair avec la liberté, la beauté ne s'accommode pas de la servitude.

UNE ÉPOQUE BOUILLONNANTE

C'est un travers de l'histoire que de considérer que toute époque est charnière, à la croisée des mondes et passage entre la modernité et l'ordre ancien. Il est possible de dire cela de toutes les époques et de tous les régimes, puisque l'histoire est en mouvement et que la société progresse. Ce qui est vrai, c'est que les hommes de Juillet sont nés pour la plupart à la fin du XVIIIᵉ siècle ou au début du XIXᵉ siècle pour les plus jeunes. Beaucoup ont connu l'exil pendant la Révolution, d'autres ont vu leurs parents assassinés et tous ont pris conscience du changement de monde. Ils s'accommodent des nouveautés et ne développent pas de réflexe réactionnaire, contrairement à certains hommes de la Restauration qui rêvent de revenir à une monarchie prérévolutionnaire qu'ils fantasment largement et que certains avaient même combattue. Mais tout en acceptant le changement, ils cherchent à conserver la stabilité de l'ordre ancien et ce qui leur paraît essentiel pour le bon fonctionnement d'une société. Ils ne sont pas tant attachés à la monarchie comme système politique qu'à la France comme porteuse d'une culture et d'une civilisation à protéger et à développer. Raison pour laquelle des hommes de Juillet se sont ensuite retrouvés sur les bancs des républicains. La monarchie de Juillet est donc plus un esprit qu'une doctrine. C'est un certain goût de la liberté couplée à la défense du droit, au respect des personnes, et au souci de contenir l'État. Défendre la liberté dans un pays épris d'égalité n'est pas chose aisée. Le goût de la servitude volontaire démontré par Étienne de La Boétie au XVIe siècle n'a disparu ni des consciences ni des réflexes politiques. Cette France-là nous paraît bien lointaine aujourd'hui : il n'y a ni électricité ni eau courante, les disettes pointent encore leur nez, il faut plusieurs jours pour rejoindre les grandes villes à cheval et l'économie nous semble bien archaïque. Mais les interrogations, les combats et les transformations témoignent du fait que la France de 1840 n'est plus celle de 1780, que la Révolution est désormais ancrée et que les transformations sociales bouleversent un monde que la *Comédie humaine* de Balzac décrit avec justesse. C'est l'attrait de Paris, de la nouveauté et de la modernité, ce sont les clivages entre les provinces et la capitale, ce sont les passions politiques qui ne cessent pas de retomber et qui font que les barricades surgissent à tout moment, à Lyon, Marseille ou Paris. Né un peu par hasard, ce régime a duré dix-huit ans. Oublié aujourd'hui, peu connu, il demeure pourtant un moment où la France a tenté de favoriser la liberté sous l'égide d'un monarque improbable, Louis-Philippe.

1830 : quand la France devient libérale

Comme un enfant gâté, la France oscille entre deux désirs contradictoires : la révolution, mais avec la conservation, ou la conservation avec la révolution. Depuis que tout a été chambardé lors de l'été 1789, le pays tâtonne pour trouver la bonne formule politique et le bon dosage de liberté. Le pays aspire à la paix, mais il veut aussi jouer un grand rôle sur la scène internationale. Il est ivre des victoires de Napoléon et saoul des morts que celles-ci engendrent. En 1830, la France a connu huit régimes politiques depuis 1789. Elle s'est essayée au pouvoir solitaire et au pouvoir collégial, aux différentes nuances de la monarchie (absolue, parlementaire, tempérée), aux différentes tendances de la république, à l'empire et au retour de l'empire, à la restauration et à l'espérance d'un renouveau. La politique est la passion française. Celle-ci contrôle l'économie et influence la littérature. Un opéra peut déclencher une révolution et une préface de théâtre (*Cromwell*) devenir un manifeste politique. Paris se dresse aisément de barricades et les ouvriers savent déclencher les émeutes. Derrière l'ordre apparent de la Restauration, demeurent les sables mouvants de la grande instabilité du royaume.

RÉVOLUTION

Mais personne ne pouvait vraiment prévoir qu'en trois jours les Bourbons seraient de nouveau renversés. Il est si facile d'écrire l'histoire après coup que l'on en vient à oublier que ceux qui la font ne connaissent pas la fin. En septembre 1828, la France s'est couverte de gloire en Grèce. Un corps expéditionnaire de quinze mille hommes est venu aider un peuple à recouvrer sa liberté face aux Turcs. Lord Byron, mort en 1824 dans les ruines de Missolonghi, avait exalté la jeunesse d'Europe par ses poèmes et ses textes enflammés sur la liberté de la Grèce. Il est l'écrivain qui ose quitter son pays, prendre les armes, se battre et mourir pour un grand idéal qui le dépasse. À sa suite, c'est l'Europe qui s'enflamme et les romantiques avec elle. Le 5 juillet 1830, le roi Charles X réussit un coup de maître. Les troupes françaises se sont emparées de la régence d'Alger afin de mettre un terme aux activités de piraterie qui rongent la Méditerranée depuis des siècles. Même Charles Quint n'avait pas réussi à prendre Alger. Le royaume des lys retrouve sa gloire et ses couleurs : le drapeau français flotte de nouveau à l'étranger. Cette victoire extérieure ne se conclut pas en victoire intérieure. Moins d'un mois plus tard, Charles X est chassé. Il doit quitter Paris, puis Saint-Cloud, puis Rambouillet, puis la France. Les aînés des Bourbons s'en vont après avoir abdiqué. C'est au tour de la branche cadette, les Orléans, de prendre le trône. Personne ne veut vraiment de la république, et surtout pas le jeune Adolphe Thiers, trente-trois ans à l'époque et déjà redoutable politique. Il s'allie avec le vieux marquis de La Fayette (soixante-treize ans) pour empêcher la république et permettre la venue de Louis-Philippe d'Orléans. L'opération politique fonctionne. On associe la liberté à la conservation, les idéaux de la Révolution à la stabilité de la monarchie. « N'ayez pas peur du peuple, il est plus conservateur que vous », dira plus tard Napoléon III à ceux de ses amis qui s'effrayaient du suffrage universel. Mais pour l'instant on craint le peuple, ses foucades et ses coups de sang et on tente de juguler au plus tôt les ravages possibles du changement de régime.

LIBERTÉ POUR LA PRESSE

L'erreur de Charles X a été de contraindre la liberté de la presse. Pour les gouvernements, elle est véritablement impossible à museler. L'évolution des moyens techniques fait qu'il est de plus en plus aisé d'imprimer des journaux. Les libéraux font de la liberté de la presse leur principal cheval de bataille. Difficile donc pour les dirigeants : si on la contraint, on risque l'émeute, si on la favorise on subit les attaques acides des journaux. Sur le papier, tout le monde est favorable à la liberté de la presse, mais en pratique chacun s'en méfie. Frédéric Bastiat avait bien senti ce problème, mais opté néanmoins pour la liberté comme une option préférentielle : « On peut s'affliger de voir des écrivains se complaire à remuer toutes les mauvaises passions. Mais entraver la presse, c'est entraver la vérité aussi bien que le mensonge. Ne laissons donc jamais périr la liberté de la presse. » C'est parce qu'il l'a entravée que les libéraux se soulèvent contre Charles X.

CHRONOLOGIE D'UNE CHUTE

En juin, les hommes du roi perdent les élections législatives. Au lieu de laisser l'opposition gouverner, Charles X et les ultras décident de dissoudre la Chambre et de convoquer de nouvelles élections. Puis le roi publie un décret par lequel il restreint le collège électoral, espérant ainsi que seuls les électeurs lui étant favorables seront en mesure de pouvoir voter.

Quant à la liberté de la presse, elle est suspendue. Les ordonnances sont connues du public le 26 juillet ; c'est aussitôt la crise. Dès le soir débutent les émeutes parisiennes, mêlant les étudiants en vacances, les ouvriers et la bourgeoisie. Le 29, Paris est aux mains des insurgés et la troupe commence à les rejoindre. Thiers appelle au pouvoir le duc d'Orléans, qui est nommé lieutenant-général du royaume. Charles X approuve cette nomination car il espère encore que ce dernier pourra ensuite passer la couronne à son petit-fils, le futur comte de Chambord. Évidemment il n'en fut rien. Orléans garde la couronne, Chambord est trop jeune du haut de ses dix ans. Le 3 août, Charles X débute son exil qui le conduit en Angleterre puis dans l'Empire autrichien. Il meurt du choléra en 1836 dans la ville de Nova Gorica, située dans l'actuelle Slovénie. Son corps repose toujours dans le couvent de Görz [aujourd'hui Kostanjevica].

Pour Louis-Philippe, l'état de grâce est là. On le voit se promener dans le parc des Tuileries habillé en bourgeois, un parapluie à la main. Cet objet devient sa marque et le symbole de nombreuses caricatures, avant qu'Honoré Daumier ne le dessine en poire ou en perroquet. Son régime dure dix-huit ans, avant d'être renversé par une autre révolution. S'étant entouré d'hommes de grande valeur, dont François Guizot, Casimir Perier, Jacques Laffitte ou encore le duc de

Broglie, il contribue à transformer la France en profondeur en lui apportant et la liberté et la stabilité.

TRANSFORMATIONS PROFONDES

En dix-huit ans, la France rattrape une partie du retard économique qu'elle avait accumulé par rapport à l'Angleterre. Les grandes banques voient le jour, la sidérurgie, le textile, les activités minières se développent, créant un grand essor pour l'industrie. Le pays se dote du chemin de fer qui commence à parcourir les provinces et à relier les grandes villes entre elles. Des travaux importants sont réalisés pour aménager les canaux et favoriser le trafic fluvial. Brisant l'enfermement causé par le congrès de Vienne (1815), la France retrouve sa place dans l'ordre du concert européen. Nous sommes certes encore loin de la modernité du Second Empire, des fastes de Paris et des fêtes impériales. Mais par rapport au début du XIXe siècle, la France s'est considérablement transformée. Elle est fracturée, bien sûr. Les républicains veulent toujours abattre le trône, les légitimistes rêvent d'un autre roi et se considèrent comme des exilés de l'intérieur, les bonapartistes cultivent la nostalgie de l'Empereur et ne désespèrent pas de voir un jour son retour.

DEUX FRANÇAIS SUR TROIS

Chaque groupe politique attend le moment opportun pour renverser le système, mais la monarchie de Juillet et « le juste milieu » visé par Louis-Philippe conviennent au plus grand nombre. Au risque de tomber dans l'anachronisme, c'est le vieux rêve de deux Français sur trois. C'est aussi cela l'histoire politique française : la Révolution et l'homme providentiel, mais également le gouvernement au centre, l'union des modérés et le dépassement des clivages politiques. Deux visions différentes, deux tensions opposées, que Louis-Philippe a réussi à concilier. Le juste milieu qu'il vise, c'est l'ordre dans la liberté et le mouvement dans la stabilité. C'est dépasser les passions pour permettre à chacun de vivre pleinement et au pays de se moderniser. Voici ce qu'écrivait Valéry Giscard d'Estaing dans la préface de *2 Français sur 3* (1984) : « Mon espoir est que l'opinion française choisisse d'entrer dans son histoire future, lorsque la parenthèse actuelle sera refermée, à partir d'une vision située dans son avenir, et non à partir de ses affrontements ou de ses frustrations du présent. C'est l'objet de ce livre : concevoir un dessein national conciliant la générosité et l'efficacité et répondant aux aspirations de deux Français sur trois. Je veux servir la cause d'une France libérale et réconciliée. » Cette dernière phrase pourrait tout à fait être la devise d'un Louis-Philippe. Et d'un Emmanuel Macron ? Là aussi, gardons-nous des anachronismes, mais la séquence électorale de 2017 a de nombreux points communs avec la révolution de 1830 : renversement de figures établies, volonté de rompre avec un système à bout de souffle, grand rôle des médias et de la presse en faveur d'un candidat, espoir d'un dépassement politique et de l'établissement d'un régime où se retrouvent deux Français sur trois. La parenthèse libérale de Juillet a bien des points communs, pour l'instant, avec celle issue de mai dernier. Alors, profitons de ce mois de juillet 2017 pour redécouvrir le régime issu de juillet 1830.

Louis-Philippe :
atteindre la voie du « juste milieu »

Il a régné dix-huit ans sur la France (1830-1848) mais n'a laissé aucune descendance intellectuelle ou politique. Avec Louis-Napoléon Bonaparte, il est le dirigeant qui est resté le plus longtemps à la tête du pays et pourtant son action n'inspire aucun parti ni aucun mouvement. On trouve des admirateurs de Guizot ou de Thiers, de Mitterrand ou de De Gaulle, mais pas de louis-philippard. Ce n'est pas là le moindre des paradoxes pour cet homme qui fut certes discret mais fut également un roi éclairé ayant considérablement modernisé le pays. Lui qui s'est voulu l'adepte du juste milieu, du changement dans la continuité, a peut-être trop bien réussi sa tâche. Ne suscitant pas de vagues, ne passionnant pas les extrêmes, refusant les formules à l'emporte-pièce et les coups d'éclat, il a fini par passer inaperçu pour la postérité politique. Sa chute en 1848, la République puis l'Empire, ont fait qu'il n'y avait pas de successeurs possibles. Si des hommes politiques ont pu s'inspirer de lui, c'était sans le dire.

UNE JEUNESSE DE PRINCE

Curieux destin que celui de ce prince de sang né en 1773. Il a passé une partie de sa vie en exil et il est mort en exil, en 1850, en Angleterre. Sa vie a oscillé entre les châteaux d'Europe et les routes du bannissement. À cet égard, il est bien un enfant du siècle et s'inscrit parfaitement dans le mouvement romantique. Fils du duc d'Orléans, personnage brillant et turbulent de la Cour, descendant du Régent qui gouverna la France entre la mort de Louis XIV et la majorité de Louis XV, Bourbon lui aussi, bien que de la branche cadette, celle des Orléans. Il porta toute sa vie la tache de son père : le vote de la mort du roi un jour de janvier 1793, qui aboutit à sa décapitation au matin du 21 janvier. En secret, le duc d'Orléans, rebaptisé Philippe Égalité, espérait récupérer la couronne et le trône. En fait, il subit lui aussi les foudres du tribunal révolutionnaire et fut guillotiné le 6 novembre 1793. Depuis Gaston d'Orléans, frère très turbulent de Louis XIII, en passant par le Régent et par Philippe, les Orléans ont toujours rêvé de prendre la couronne. Branche familiale qui se veut éclairée, au fait des idées nouvelles, en phase avec les aspirations de son temps, contrairement à la branche aînée que l'on présente volontiers comme plus fermée et traditionnelle, les Orléans demeurent les mal-aimés.

Trop libéraux au goût des monarchistes traditionalistes, trop traditionalistes en revanche pour les républicains modérés. C'est le désavantage du juste milieu : le risque de décevoir les deux pôles opposés de la vie politique. La prise du pouvoir se fait souvent dans la joie, son exercice suscite régulièrement des déconvenues. Là est peut-être le drame du règne de Louis-Philippe.

UN PARTISAN DE LA RÉVOLUTION

Louis-Philippe s'enthousiasme pour la Révolution, du moins celle de 1789-1792, pas celle de 1793. Il adhère à cette soif de liberté, à cette modernisation du royaume, à cette évolution vers une monarchie parlementaire. Il n'est pas loin, d'ailleurs, de partager les idées de Louis XVI. Le roi a voulu, avec Turgot, faire payer les nobles et abolir les privilèges. Ceux-ci s'y sont opposés en bloquant les parlements. Finalement, la réforme fiscale s'opère par la force durant l'été 1789. Ce sont des nobles qui, le 4 août, montent à la tribune de l'Assemblée pour demander l'abolition des privilèges. La Rochefoucauld, Noailles et le duc d'Aiguillon, les trois plus grandes fortunes du royaume, bien plus fortunées que le roi, s'exaltent en ce soir d'août et font voter l'abolition des privilèges. Ce que ni Turgot ni Louis XVI n'ont pu obtenir par la négociation au cours des années antérieures aboutit enfin après deux mois de révolution. C'est la victoire posthume de Turgot. Quant à Louis XVI, il est paré du titre honorifique de « restaurateur de la liberté française ». Les embrassades et les réconciliations sont à l'honneur, si bien que l'ambassadeur d'Angleterre à Paris écrit à son gouvernement que « jamais on n'a vu une révolution si pacifique ». Encore quelques années et elle le sera beaucoup moins. À l'été 1789, tout le monde pense que la révolution est terminée. Certes, les frères du roi ont fui à l'étranger de peur d'être arrêtés et tués, mais malgré tout le royaume est calme. Le départ en exil de ceux qui sont devenus ensuite Louis XVIII et Charles X a pesé sur les relations avec Louis-Philippe d'Orléans. Dans la mémoire collective des années 1820, il y a ceux qui se sont opposés à la Révolution et celui qui l'a soutenue. Selon que l'on aime la révolution où qu'on l'abhorre, on penchera donc pour les uns ou pour l'autre.

En tant qu'officier de l'armée, Louis-Philippe participe aux batailles de Valmy et de Jemmapes. Sa bravoure lui vaut d'avoir son nom inscrit sur les piliers de l'Arc de triomphe. C'est en avril 1793 que son destin bascule. Son chef, le général Dumouriez, tente un coup d'État pour prendre le pouvoir et installer un gouvernement plus modéré afin de mettre un terme à la Terreur. Ce coup de force échoue. Dumouriez doit s'exiler et avec lui Louis-Philippe, qui l'a soutenu. De héros national il devient un proscrit. Ses biens sont confisqués et il erre désormais en Europe. Il mène alors des expéditions en Suisse, au pôle Nord et en Amérique. Ce goût des voyages et des expéditions scientifiques se retrouve ensuite chez plusieurs de ses enfants, notamment le prince de Joinville et le duc d'Aumale.

UN PRINCE NORMAL

Avec le retour du roi, Louis-Philippe retrouve la France et Paris. Il se tient à distance des ultras et veut mener une vie simple, notamment en envoyant ses enfants au collège Henri IV. Une vie modeste tempérée par le fait qu'il bénéficie de nombreuses indemnités, qu'il possède de multiples châteaux et qu'il est tout à fait conscient de la supériorité de son rang. On brocarde alors cette comédie des manières simples qui cherche à le faire passer pour un « prince normal ». Déjà la moralisation de la vie politique était une demande en cours. Mais c'est grâce à cette attitude et cette pensée tempérée qu'il est soutenu aussi bien par la gauche que par la droite et qu'il peut récupérer le trône en 1830. Enfin, un Orléans devient chef de la France.

LA TRAGÉDIE D'UN PÈRE

Ses enfants sont son principal atout. Ils sont beaux, intelligents, jeunes et adulés. Avec son épouse, Amélie de Bourbon, princesse des Deux-Siciles, ils en ont eu dix. L'aîné, Ferdinand, magnifique dans son uniforme de cavalier, comme en témoigne encore le portrait peint par Ingres aujourd'hui au Louvre. Il est l'espoir de la monarchie et se veut le porte-parole des aspirations de la jeunesse. Lors de l'épidémie de choléra de 1832, il visite les malades dans les hôpitaux. Le risque est réel puisque Casimir Perier, qui l'accompagne, contracte la maladie et en meurt. Sa popularité est immense. Il mène bataille en Algérie contre Abd el-Kader, combattant au plus près des lignes et restant toujours avec ses hommes. Son courage est indéniable et reconnu de tous, si bien qu'il devient la figure de proue des modérés et des libéraux. En jeune prince romantique il porte la barbe, alors symbole de ralliement aux idées nouvelles. Le drame survint le 13 juillet 1842. Se rendant à Neuilly, dans la demeure familiale, les chevaux de son carrosse s'emballent et il est projeté hors de la voiture. Sa tête heurte les pavés et il décède quelques heures plus tard. À ses obsèques, la foule est immense. C'est tout un peuple qui pleure un jeune prince au destin brisé. Les monarchistes comprennent que ce 13 juillet le sort leur a joué un coup fatal. Alfred de Musset pleure son ami dans un poème d'hommage : « Ce fut un triste jour, quand, sur une civière, /Cette mort sans raison vint nous épouvanter. » Cette catastrophe familiale est aussi une catastrophe politique. « Une heure a détourné tout un siècle » dira Musset et, plus prosaïquement, Charles de Rémusat note dans ses mémoires que la monarchie a péri ce jour-là : « Je ne suis point fataliste et ne veux pas dire qu'à dater du 13 juillet 1842, la monarchie fut irrévocablement condamnée, mais je dis que sans ce jour fatal, elle n'aurait point péri. » Sans ce 13 juillet 1842, pas de renversement du trône en 1848. Le prince Ferdinand aurait été à même de concilier les aspirations de la jeunesse et la continuité des idées conservatrices.

D'autres fils de Louis-Philippe s'en sont chargés, mais sous la République.

François d'Orléans, prince de Joinville, militaire lui aussi, ayant combattu au Mexique puis aux États-Unis lors de la guerre de Sécession, du côté des Nordistes. Amateur d'art et de sports, il a œuvré à la création de nombreuses régates, notamment au Havre et à Brest.

Henri d'Orléans, duc d'Aumale, gouverneur de l'Algérie, collectionneur et amateur d'art, propriétaire du château de Chantilly, dont il complète les collections grâce à ses talents de bibliophile et d'amateur. Il en fait don à l'Institut de France, demandant qu'à sa mort le château et les écuries du prince de Condé deviennent un musée et soient ouverts au public. Demande reçue qui fait de Chantilly l'un des domaines les plus visités d'Île-de-France.

La postérité des Orléans est ici : non dans la politique mais dans la culture, dans le goût des arts et dans la volonté de servir la France indépendamment des régimes politiques. Louis-Philippe était plus attaché à des idées qu'à une forme de régime. Les monarchistes qui ont soutenu la république en 1848 puis en 1870 au nom de la raison et des circonstances en sont finalement ses héritiers directs.

François Guizot : osez vous enrichir

Il a été l'homme de la monarchie de Juillet, la figure intellectuelle, morale et politique qui a marqué l'ensemble de cette période. Contrairement à Adolphe Thiers, son adversaire politique, qui a poursuivi sa carrière sous le Second Empire avant de la terminer avec la IIIe République naissante, Guizot n'a œuvré que sous le gouvernement de Louis-Philippe. Historien, auteur d'une œuvre conséquente, il fait partie de ces intellectuels pris par le virus de la politique et dont l'œuvre a sans cesse oscillé entre action et réflexion, un peu à l'image d'un Tocqueville. François Guizot est né à Nîmes en 1787, mais c'est en Normandie qu'il fut élu, à Lisieux, et c'est dans un village du Calvados qu'il mourut en 1874. La ville de Nîmes a son importance dans la formation intellectuelle et morale du jeune Guizot : c'est la ville du protestantisme français, marquée par les Cévennes et l'esprit du désert. On peut égrener les titres et les responsabilités qui résument le parcours de Guizot : membre de l'Académie des sciences morales et politiques et de l'Académie française, ministre de l'Instruction publique, des Affaires étrangères et chef du gouvernement, auteur de plusieurs livres d'histoire, dont une histoire de la révolution anglaise, traducteur des œuvres de Shakespeare.

UNE JEUNESSE EN EXIL

Le point commun des hommes de la monarchie de Juillet est d'avoir été marqués par la Révolution. Beaucoup ont connu l'exil et ont eu des parents exécutés. Les aléas politiques en ont régulièrement fait des parias et des proscrits obligés de fuir et donc de voyager en Europe. C'est le cas de François Guizot. Son père étant partisan de la Gironde, il est arrêté et exécuté en avril 1794. François a alors sept ans. On comprend que cet acte de terreur politique l'ait marqué et qu'il en ait gardé une détestation de la tyrannie politique. Pour sauver ses deux enfants, sa mère se réfugie à Genève, où elle peut bénéficier des réseaux de solidarité protestants. C'est là que François y commence son instruction. Comme beaucoup d'hommes de sa génération, il aura été un exilé et aura vécu de longues années hors de France, ce qui est aussi l'occasion pour cette génération de découvrir les autres pays et d'en tirer matière à réflexion et à exemple. Il revient en France à dix-huit ans, en 1805, pour faire des études de droit à Paris. C'est l'époque de l'Empire et la vie intellectuelle est loin d'être libre. Guizot se fait remarquer par la rédaction d'articles et de chroniques littéraires et il commence à fréquenter le milieu intellectuel parisien. En 1812, il obtient la chaire d'histoire moderne à la Sorbonne et commence sa carrière de professeur d'histoire. Fait d'autant plus remarquable qu'il n'a pas de sympathie particulière pour l'Empire et qu'il est lié au parti libéral, grand ami notamment de Royer-Collard et de Victor de Broglie. C'est parmi cette jeunesse intellectuelle et libérale que se tissent les réseaux d'influence actifs sous Louis-Philippe. En 1815, alors que Louis XVIII est réfugié à Gand pendant l'épisode des Cent-Jours, Guizot est mandaté par le parti libéral pour lui porter une missive lui demandant de ne pas restaurer la monarchie absolue et de tenir compte des aspirations à la liberté du peuple français. Il a vingt-sept ans, il est inconnu du grand public et des cercles monarchistes, mais s'acquitte de sa tâche. Autant dire qu'il est assez mal reçu par ceux qui attendent impatiemment le retour à une idée monarchique qui n'a jamais existé. Il faudra encore quinze ans à Guizot et à ses amis pour pouvoir appliquer leurs idéaux et allier la réflexion intellectuelle et la pratique politique. Les libéraux et lui sont partisans d'une politique du juste milieu : fidèle à la tradition monarchique, mais ouverte aux idées nouvelles. Dans le bouillonnement politique de la France du début du XIXe siècle, la mesure et l'équilibre ne sont pas les partis les plus aisés à défendre. À force de s'opposer aux ultras, Guizot fut destitué de sa chaire universitaire en 1828. On payait déjà cher la liberté intellectuelle.

L'AVÈNEMENT DU GOUVERNEMENT LIBÉRAL

Pour lui comme pour ses amis, la chute de Charles X est une aubaine. Guizot entre au gouvernement du nouveau roi dont il partage pleinement les vues. Mais c'était sans compter sur l'hostilité de Thiers qui ne veut pas l'avoir comme rival. Finalement, ce dernier se résout à ce que Guizot obtienne un petit ministère : l'Instruction publique. Contre toute attente, il y fait merveille.

François Guizot est l'un des grands rénovateurs de l'école en France. Il a su concilier liberté scolaire et intervention utile de l'État. Grâce à lui, de très nombreuses écoles ouvrirent sur l'ensemble du territoire, la jeunesse de France fut largement scolarisée et l'instruction progressa. Preuve en est la diminution de l'analphabétisme chez les conscrits. Trop souvent on fait débuter l'histoire scolaire à Jules Ferry, alors que celui-ci est surtout coupable d'avoir nationalisé l'école et créé un monopole étatique dénoncé dès son ministère et dont les effets négatifs n'ont pas tardé à se montrer. On oublie trop en revanche Guizot et Alfred de Falloux, qui portèrent les principes libéraux à leur grande expression et qui démontrent, encore aujourd'hui, que la liberté est une chance pour l'école. La loi Guizot de 1833 oblige chaque commune à avoir une école, privée ou publique. Cette disposition législative fait que les communes doivent subvenir à la scolarité des enfants les plus pauvres et dont les parents ne peuvent pas payer l'école. Enfin, une école de formation des maîtres est créée dans chaque département. L'éducation repose donc sur un pluralisme. En parallèle des écoles gérées par l'État, des écoles gérées par les congrégations religieuses. On trouve même des écoles financées par l'État et gérées par des congrégations, dans un système que l'on appelle aujourd'hui les écoles à charte ou bien une délégation de service public. La liberté scolaire de Guizot devrait inspirer les édiles de la rue de Grenelles. Guizot a compris qu'une société libre ne pouvait demeurer que chez un peuple libre, c'est-à-dire un peuple capable de porter des jugements rationnels et de faire des choix politiques guidés par la voix de la raison, non par les sentiments passionnels et les émotions populaires. C'est ce qu'il écrit dans sa lettre aux instituteurs datée de 1833 : « […] la liberté n'est assurée et régulière que chez un peuple assez éclairé pour écouter en toutes circonstances la voix de la raison. »

On n'aime pas le peuple, nous dit Guizot, parce que l'on est démagogue envers lui et parce qu'on lui fait des promesses impossibles à tenir. On aime le peuple quand on veut son élévation intellectuelle, morale et matérielle. Les populistes n'aiment pas le peuple parce qu'ils le trompent. Les libéraux lui tiennent un discours exigeant mais juste et lui permettent, par de bonnes lois et par un bon dosage entre liberté et interventionnisme, de prospérer. La liberté a mauvaise presse, mais Guizot s'y tient. Tout au long de son ministère, il a été très impopulaire, aussi bien chez les ouvriers qu'à la Chambre. Il en a gardé une image d'austérité et de froideur, notamment parce qu'il s'est opposé au suffrage universel. Son raisonnement ne manque toutefois pas de mesure.

ENRICHISSEZ-VOUS ET VOUS POURREZ VOTER

« Enrichissez-vous ! » Quelle formule a prononcée là le malheureux Guizot. Dans un pays qui rêve de Grand Soir, qui attend le retour des partageux, qui fustige les patrons et les gros pour défendre les petits, un pays qui a l'honneur de compter une bonne vingtaine de députés communistes dans son assemblée trente ans après la chute du mur de Berlin, enjoindre le peuple à s'enrichir est un scandale. Il vaudrait mieux défendre la répartition, la justice sociale et la lutte contre les inégalités.

Cette formule, ses biographes ne savent pas vraiment
où elle a été prononcée, ni même si elle l'a vraiment
été. Ce serait apparemment auprès de ses électeurs de
Lisieux, mais peut-être aussi à la Chambre. On voulait
faire baisser le cens pour accroître le collège électoral.
Guizot n'est pas un démocrate et il se méfie grande-
ment du pouvoir de la foule. Comment accorder le
droit de vote à des gens qui ne peuvent pas comprendre
les enjeux politiques et qui sont si facilement sujets aux
démagogues ? Comme il le dit en 1837, la démocratie,
c'est le nivellement. Guizot veut la liberté, mais non le
nivellement. « Ce qui a souvent perdu la démocratie,
c'est qu'elle n'a su admettre aucune organisation hié-
rarchique de la société, c'est que la liberté ne lui a pas
suffi ; elle a voulu le nivellement. » Alors Guizot propose autre chose. Plutôt que d'abaisser le cens, élever
les conditions de vie. Enrichissez-vous, par le travail et
par l'épargne, et vous pourrez ainsi payer le cens et donc
voter. Prendre le peuple au sérieux et le croire capable
de mieux, et non le rabaisser. Cette exigence morale,
Guizot l'a portée dans son exigence politique. Lié à la
monarchie de Juillet et à son roi, il est renversé avec lui.
Ayant été ambassadeur à Londres, il part en Angleterre
pour le deuxième exil de sa vie. Curieuse destinée que
cette génération d'hommes toujours prêts à partir sur
les routes de la proscription. Revenu en France, il ne
se mêla plus de politique, ni sous la République ni sous

l'Empire. Il se consacra à l'écriture et à ses œuvres, réfugié dans son manoir normand et entouré de sa famille. L'intellectuel qu'il avait toujours été absorba le politique qu'il fut pendant vingt ans.

Alexis de Tocqueville :
le prophète de la démocratie

Lire Tocqueville aujourd'hui, c'est découvrir qu'un jeune homme d'une trentaine d'années avait analysé il y a deux siècles les promesses et les dangers de la démocratie, au moment où celle-ci n'en était qu'à ses prémices. Que ce soit sur l'égalitarisme, le poids croissant de l'État, les rapports entre les nations, la place de l'individu et les dangers d'une nouvelle servitude, Tocqueville a tout vu et tout compris. Célèbre à son époque, membre de l'Académie française à trente-quatre ans, Tocqueville tombe assez vite dans l'oubli à partir des années 1870. Les courants dominants ne reconnaissent pas sa pensée : il n'est pas républicain, bien qu'il fût ministre sous la IIe République, et il n'est pas assez monarchiste aux yeux des monarchistes restants. C'est aux États-Unis qu'il continue d'être lu et étudié, avant de revenir en force à partir des années 1970 grâce à François Furet, qui vante ses qualités d'historien, et Raymond Aron, qui voit en lui un précurseur de la sociologie. Il est aujourd'hui l'un des rares auteurs libéraux à être cités par des personnes n'appartenant pas à ce courant de pensée.

UN ARISTOCRATE EN DÉMOCRATIE

Il a pour ancêtres Malesherbes, le protecteur des philosophes des Lumières et l'avocat de Louis XVI, et Chateaubriand, dont il a partagé un an la vie, lorsqu'il était enfant et que l'écrivain a vécu en exil dans le château familial avec les autres cousins Tocqueville. Une telle ascendance intellectuelle marque forcément un caractère. Il est issu et formé par ce lignage aristocratique et légitimiste où servir le roi va de soi et où l'on ne transige pas avec les idées nouvelles de la Révolution. Alexis de Tocqueville a échappé à ce milieu, en dépit de l'affection qu'il lui porte, pour adhérer aux idées libérales consistant à associer la grandeur de la tradition et le souffle de la nouveauté. Sur ce point-là, il rejoint les doctrinaires, dont Guizot et Broglie, et les partisans du juste milieu. En 1830, sa vie bascule. Que faire quand on est un jeune aristocrate légitimiste et que l'on rejette le nouveau régime ? Partir marcher sur les pas de Chateaubriand, aller en Amérique pour découvrir ce nouveau pays, mais dans une optique nouvelle : jusqu'alors, on allait en Amérique pour remonter aux sources de la civilisation, pour y trouver les bons sauvages et avoir une idée de ce qu'était le monde avant le développement. Aller en Amérique, c'était aller vers le passé. Tocqueville change d'optique : il se rend là-bas pour anticiper le futur. En Amérique se trouve la démocratie et il est persuadé que celle-ci va arriver en Europe, en dépit des mouvements réactionnaires. La démocratie est inéluctable. Alors il faut partir pour la découvrir et ainsi savoir ce que connaîtront la France et l'Europe. Il part avec son fidèle ami, Gustave de Beaumont, au prétexte de réaliser un rapport parlementaire sur le système pénitentiaire. Ils y passent plusieurs mois, manquent d'y mourir et en reviennent transformés. Le rapport est rédigé à la hâte, Tocqueville veut écrire son œuvre véritable, ce sera *De la démocratie en Amérique*. Le premier tome paraît en 1835 et le second en 1840. À côté de cette activité intellectuelle, Tocqueville mène une carrière politique. Il est élu député de la Manche en 1839 puis conseiller général en 1842, mais c'est sous la République qu'il sera ministre des Affaires étrangères. Sa carrière politique s'arrête avec l'arrivée de Napoléon III au pouvoir, qu'il ne veut pas servir. Il retourne alors à ses livres et à ses études.

LE TEMPS DE L'ÂGE DÉMOCRATIQUE

Tocqueville estime que la démocratie est une chose inéluctable. Pour lui cependant, ce n'est pas un régime politique mais un état social. La démocratie, c'est l'égalisation des conditions de vie. Une société démocratique est fondée sur l'égalité quand une société aristocratique est fondée sur la liberté. S'il analyse la démocratie et s'il la défend contre son propre milieu familial qui compte beaucoup de réactionnaires, il n'est pas démocrate pour autant. Il se rallie à un état de fait, tout en conservant un fond de nostalgie pour l'âge déchu de la liberté. Cette égalisation est due à deux phénomènes : le christianisme, qui en prêchant l'égalité entre tous les hommes a contribué à diffuser l'idée dans les esprits, et le progrès technique, qui permet aux plus pauvres d'accéder à des biens qu'ils ne pouvaient pas avoir. La démocratie a des conséquences sur tous les champs humains : la politique, l'économie, la presse, les relations internationales, la vie de famille. Elle apporte le bonheur au peuple, elle permet de pacifier les relations entre les différents corps sociaux et elle met un terme aux inégalités. Tocqueville se prend de passion pour la démocratie. À l'Assemblée, il siège à gauche et crée le mouvement de la Jeune gauche, avec d'autres de ses amis libéraux. Il s'oppose aux raidissements politiques des années 1845-1848 et accueille avec joie la révolution de 1848, s'enthousiasmant pour le nouveau régime. Il n'est ni monarchiste ni républicain, il est pour la liberté et pour l'égalité entre les personnes. Dans ses *Souvenirs*, il raconte l'instauration du suffrage universel et ce matin d'élection où « toute la population mâle au-dessus de vingt ans » se rend au village voisin pour voter pour la première fois. La joie et la gravité de l'événement transparaissent, mais aussi le danger potentiel que ces paysans se fassent avoir par les démagogues qui essaieraient de les détourner du chemin du bureau de vote. Il prend la tête de la procession après leur avoir expliqué comment il faut voter.

LES DANGERS DE LA DÉMOCRATIE

S'il s'exalte pour la démocratie, il en perçoit très bien aussi les dangers potentiels. La passion de l'égalité risque de prendre le pas sur l'amour de la liberté. Alors les hommes préféreront être égaux quitte à être asservis. C'est le nouveau despotisme qui menace désormais l'individu : « Je vois une foule innombrable d'hommes semblables et égaux qui tournent sans repos sur eux-mêmes pour se procurer de petits et vulgaires plaisirs dont ils remplissent leurs âmes. » L'individu démocratique est coupé de ses parents, de son passé, et de ses enfants, son futur. Il n'a plus de racine et ne se projette plus dans l'avenir, il vit uniquement dans le présent ; dans un présent perpétuel où il cherche à satisfaire ses plaisirs et où il est prêt à se donner au tyran qui pourra lui fournir ses besoins. C'est le despotisme bienveillant, plus dangereux, car invisible, que l'ancien despotisme aristocratique : « Au-dessus de ceux-là s'élève un pouvoir immense et tutélaire, qui se charge seul d'assurer leur jouissance et de veiller sur leur sort. Il est absolu, détaillé, régulier, prévoyant et doux. Il ressemblerait à la puissance paternelle si, comme elle, il avait pour objet de préparer les hommes à l'âge viril ; mais il ne cherche, au contraire, qu'à les fixer irrévocablement dans l'enfance ; il aime que les citoyens se réjouissent, pourvu qu'ils ne songent qu'à se réjouir. Il travaille volontiers à leur bonheur ; mais il veut en être l'unique agent et le seul arbitre ; il pourvoit à leur sécurité, prévoit et assure leurs besoins, facilite leurs plaisirs, conduit leurs principales affaires, dirige leur industrie, règle leurs successions, divise leurs héritages ; que ne peut-il leur ôter entièrement le trouble de penser et la peine de vivre ? »

N'avons-nous pas ici la description de ce que sont l'État-providence et l'État-nounou qui prélèvent les impôts et fournissent au peuple tout ce dont il a besoin : travail, sécurité, loisirs, logements ? Tocqueville décrit ici la route de la servitude qui, plus tard, a marqué la pensée de Friedrich Hayek. Ce despotisme bienveillant fonctionne grâce à une bureaucratie tentaculaire et omniprésente : « Il réduit chaque nation à n'être qu'un troupeau d'animaux timides et industrieux, dont le gouvernement est le berger. » L'État ne veut pas notre bien, il veut seulement vivre sur notre dos et redistribuer l'argent public de façon intelligente pour récupérer les votes des citoyens. C'est là l'analyse d'une politique sans romantisme faite par l'école des choix publics à la suite de James Buchanan. À quoi sert alors le suffrage universel puisque au lieu de libérer les hommes il les maintient dans la servitude de l'État-providence ? La démocratie court le risque de devenir un pouvoir social uniforme, de rechercher le conformisme majoritaire, d'établir même la dictature de la majorité et d'atomiser le corps social dans un individualisme qui ne recherche que le bien-être. L'égalité enserre la liberté et l'étouffe. Tocqueville, qui n'est pas très porté sur la foi, voit dans le christianisme la seule issue pour éviter la dictature bienveillante de l'égalitarisme. La transcendance permet de briser l'enfermement dans l'horizontalité et de donner aux hommes un autre horizon que celui de leurs simples plaisirs : « Je doute que l'homme puisse jamais supporter à la fois une complète indépendance religieuse et une entière liberté politique : et je suis porté à penser que, s'il n'a pas la foi, il faut qu'il serve, et, s'il est libre, qu'il croie. »

De santé fragile, il se rend à Cannes pour se soigner, veillé par son épouse anglaise. C'est là qu'il meurt le 16 avril 1859, dans la villa Montfleury. Cruauté de l'histoire, c'est dans cette villa que la Gestapo installa son QG pour y emprisonner et y torturer des résistants, à l'endroit même où avait rendu l'âme le chantre de la liberté française. Preuve que le combat pour la liberté transcende les époques et les lieux.

Frédéric Bastiat : le héraut du libéralisme

Nous sommes des milliers à avoir marché sur sa tombe. Né à Bayonne en 1801 et mort à Rome en 1850, Frédéric Bastiat fut enterré dans l'église Saint-Louis-des-Français. Les visiteurs se ruent dans cette église non pour rendre hommage au « représentant aussi éclairé que consciencieux » comme l'indique l'épitaphe, mais pour admirer les tableaux du Caravage accrochés dans la chapelle latérale. Ce faisant, ils doivent passer sur la tombe de l'économiste enterré à même le sol. Cela illustre à merveille le célèbre aphorisme de Bastiat : il y a ce que l'on voit (les tableaux) et ce que l'on ne voit pas (sa tombe), comme en économie où l'intervention de l'État est plus visible que les bienfaits de la liberté. Bastiat ne s'est jamais revendiqué libéral, à l'époque on parlait d'économiste. Lui-même fut un contributeur régulier du *Journal des économistes* qui regroupait alors les penseurs de la liberté. Élu député de la IIᵉ République en 1848, il siège à gauche à l'Assemblée.

Son seul critère de vote est la défense des libertés. Il vote pour la gauche ou pour la droite selon que le texte proposé défend ou non les libertés qu'il estime fondamentales. Cet éclectisme et cette originalité expliquent peut-être pourquoi il est aujourd'hui oublié. Ajoutez à cela qu'il fut un infatigable défenseur des libertés, un pourfendeur des ententes et des protections qui se font au mépris du consommateur, un lutteur régulier contre l'arrogance et la suffisance de l'État et vous comprendrez que ce grand penseur est aujourd'hui banni de l'université et des programmes scolaires. S'il arrive qu'on le cite, c'est à la façon des entomologistes : pour présenter une espèce particulière et curieuse de bête incongrue qui ne jappe pas à l'unisson des étatistes. Pour ceux qui ont des enfants au lycée, demandez-leur si on leur a parlé de Bastiat. Il est à craindre que non.

« À LA JEUNESSE FRANÇAISE »

C'est par cet exergue que débute son ouvrage majeur, *Harmonies économiques* (1850). Puisqu'une partie de la jeunesse passe et obtient le baccalauréat, institution socialiste que Bastiat a pourfendue, écoutons ce qu'il propose à la jeunesse de l'époque qui, dans ses aspirations, a beaucoup à voir avec celle d'aujourd'hui. « Jeunes gens, vous trouverez le titre de ce livre bien ambitieux. *Harmonies économiques* ! Aurais-je eu la prétention de révéler le plan de la Providence dans l'ordre social, et le mécanisme de toutes les forces dont elle a pourvu l'humanité pour la réalisation du progrès ? Non, certes ; mais je voudrais vous mettre sur la voie de cette vérité : *Tous les intérêts légitimes sont harmoniques*. C'est l'idée dominante de cet écrit, et il est impossible d'en méconnaître l'importance. » Toute l'idée de Bastiat repose sur cet axiome : les intérêts entre les hommes sont harmoniques, ce qui induit la liberté. La finalité de l'État est de permettre la réalisation de la liberté afin de sauvegarder l'harmonie de la société. À l'inverse, les socialistes pensent que la société est dysharmonique et que tout est conflit et combat. Ils ne pensent le monde qu'en termes d'opposition : les bourgeois contre les prolétaires, les riches contre les pauvres, les exclus contre les profiteurs. L'idéologie socialiste est une pensée de guerre et de conflit social quand la pensée des économistes (des libéraux, dirait-on aujourd'hui) est une pensée de paix et d'harmonie. Les libéraux défendent donc un ordre spontané où le droit naturel est respecté. Cette société est fondée sur l'état de droit (la *common law*, disent les Anglais) et elle seule permet de respecter les personnes. Alors que les socialistes défendent le constructivisme. Il s'agit de penser la société et d'édifier la société à l'image de cette idée. La pensée libérale est fondée sur l'observation, la raison et le réel ; la pensée socialiste repose sur l'imagination, l'idéologie et le dogmatisme. « Ce qui sépare profondément les deux écoles, c'est la différence des méthodes. L'une, comme l'astrologie et l'alchimie, procède par l'imagination ; l'autre, comme l'astronomie et la chimie, procède par l'observation. »

Il paraît que la droite française se cherche un avenir et une doctrine. On pourra modestement conseiller à ses chefs de relire Bastiat (et Tocqueville) pour y puiser des idées à la hauteur de leurs ambitions. Ce conseil de lecture vaut aussi pour les autres mouvements politiques. Ils y gagneront d'autant mieux que Bastiat n'est pas un doctrinaire. Il décortique le réel et il le présente souvent sous la forme d'histoires ou de fables qui démontrent le ridicule de l'étatisme et le bien-fondé de la liberté.

LA PÉTITION DES MARCHANDS DE CHANDELLES

L'une de ses plus célèbres est sûrement la pétition des marchands de chandelles. Ceux-ci envoient une requête au roi pour lui demander de lutter contre un concurrent particulièrement déloyal : le soleil. En effet, celui-ci fournit de la lumière gratuite. Les marchands demandent donc de faire une norme obligeant les habitants à obstruer leurs fenêtres de papier sombre afin d'être contraints de s'éclairer à la chandelle. On imagine le nombre mirobolant d'emplois ainsi créés ; de quoi inverser la courbe du chômage. Ne faudrait-il pas aussi interdire l'eau courante, pour sauvegarder les emplois de porteur d'eau ? Et la diffusion des médicaments, pour donner plus de travail aux croque-morts ? N'avons-nous pas nous aussi aujourd'hui nos marchands de chandelles qui luttent contre telle ou telle modernisation économique, contre les transformations sociales, afin de sauvegarder leurs niches ? Un gouvernant qui répond favorablement à la demande des pétitionnaires et nous voilà en plein dans le capitalisme de connivence, celui qui trahit l'esprit même du capitalisme.

LE PIRE DES MONOPOLES

« Tous les monopoles sont détestables, mais le pire de tous, c'est le monopole de l'enseignement. » Formule à graver en lettres d'or sur le fronton de la rue de Grenelles. Bastiat a passé sa vie à lutter contre ce monopole, celui de la collation des grades universitaires qui crée un moule uniformisant et infantilisant, celui des écoles que l'État prétend diriger et contrôler. Le monopole scolaire engendre des coûts supplémentaires, il affaiblit la réflexion, il stérilise l'innovation pédagogique et, *in fine*, il ne permet pas le développement de l'intelligence dans le pays. À ceux qui cherchent à rebâtir l'école, la solution est là : mettre un terme au monopole scolaire, laisser faire les professeurs pour tâtonner, se tromper, recommencer et finalement assurer la réussite de leurs élèves. « Laissons donc l'enseignement libre. Il se perfectionnera par les essais, les tâtonnements, les exemples, la rivalité, l'imitation, l'émulation. » La société de liberté repose sur la confiance quand le socialisme n'engendre que la défiance.

L'IMPÔT, C'EST LE VOL

Le seul souci de Bastiat est de défendre la personne et de lui permettre de se développer, d'accéder à des biens de consommation afin d'améliorer ses conditions de vie et donc d'être plus heureuse. Or l'impôt est une trahison fondée sur la grande fiction de l'État. « L'État, c'est la grande fiction à travers laquelle tout le monde s'efforce de vivre aux dépens de tout le monde. » On sait, bien sûr, que ce n'est pas cher puisque c'est l'État qui paye. Mais l'État paye avec l'impôt, c'est-à-dire avec l'argent prélevé sur les personnes. « Vous comparez la nation à une terre desséchée et l'impôt à une pluie féconde. Soit. Mais vous devriez vous demander aussi où sont les sources de cette pluie, et si ce n'est pas précisément l'impôt qui pompe l'humidité du sol et le dessèche. » Imaginons la révolution culturelle si, sur les panneaux signalant les travaux, au lieu d'écrire : « Le département (l'État, la région…) finance… », on écrivait « votre argent finance ». Faire prendre conscience aux personnes que l'argent public n'existe pas, que ce n'est qu'un argent mis en commun parce que prélevé par la force et que celui-ci appauvrit les personnes au lieu de les enrichir. Sauf que l'impôt sert la dépense publique et que pour toute diminution de celui-ci il faut d'abord commencer par restreindre celle-là. C'est là l'attitude schizophrénique de l'électeur qui souhaite à la fois moins d'impôts et plus de dépenses sociales. « C'est précisément là le motif qui doit pousser le peuple, s'il est prudent, à restreindre les dépenses publiques, c'est-à-dire l'action, les attributions et la responsabilité du gouvernement. Il ne faut pas qu'il s'attende à ce que l'État le fasse vivre, puisque c'est lui qui fait vivre l'État. » Or comme l'ont démontré James Buchanan et la théorie des choix publics, la démocratie, appuyée sur le suffrage universel, devient un vaste système d'achat de voix. Il faut qu'une majorité prenne le pouvoir pour imposer la minorité et se redistribuer l'argent. On dérive ensuite vers le clientélisme et la défense des intérêts particuliers et non pas de l'intérêt général. Le risque est d'aboutir à un système de spoliation légal où une minorité peut vivre aux dépens des autres et faire perdurer son intérêt unique : « La spoliation au-dehors s'appelle guerre, conquêtes, colonies. La spoliation au-dedans se nomme impôts, places, monopoles. » Bastiat a beau faire usage d'historiettes pour ses démonstrations, sa pensée passe les certitudes au lance-flammes.

Il est mort peut-être trop tôt, trop jeune, pour avoir une réelle influence sur son époque et sur sa postérité. C'est l'auteur que l'on se passe sous le manteau et que l'on fait lire presque en cachette. Il est vrai que son message est révolutionnaire : Soyez libre ! Abattez les murs des monopoles !

La révolte des canuts :
l'ambiguïté d'un mouvement social

L'insurrection des canuts, les ouvriers de la soie à Lyon, en novembre 1831, est la révolte sociale emblématique de la monarchie de Juillet. Pour celui qui n'est pas de Lyon, la rencontre avec leur mémoire se fait d'abord dans un bouchon : c'est la célèbre « cervelle de canut », servie avec du pain grillé ou des pommes de terre. Fromage blanc, ciboulette, échalote, vinaigre, voilà pour les principaux ingrédients. Difficile de connaître les origines de ce plat, mais il était probablement consommé par ces ouvriers qui lui ont donné son nom. En France, la gloire de la postérité ne s'acquiert-elle pas quand son nom est donné à un plat ? Sauce Soubise, soupe aux truffes VGE ; le Panthéon politique s'allie à la gloire des fourneaux.

Mais au-delà, la révolte des canuts a ébranlé la conscience collective. On peut véritablement dire qu'elle est entre deux siècles et qu'elle signe, pour la France, l'entrée dans le socialisme pratique et révolutionnaire.

De cette révolte découlent la Commune de Paris (1871) et les grands mouvements sociaux ouvriers.

L'INCOMPRÉHENSION FACE À LA MODERNITÉ

Ce mouvement social naît d'une incompréhension entre deux classes sociales qui n'ont pas les mêmes vues : la bourgeoisie lyonnaise de la soie et les ouvriers qualifiés que sont les canuts. Ces derniers sont l'élite du monde ouvrier. Ils sont instruits, ils maîtrisent un savoir-faire de haute technicité, ils sont regroupés en associations fortement solidaires. Beaucoup ont appris leur métier dans le compagnonnage, ce qui tisse des liens très étroits. Mais ils représentent le monde ouvrier préindustriel, celui d'avant la mécanisation massive. À Lyon, on les trouve dans le quartier de la Croix-Rousse, la colline qui travaille, selon la belle formule de Jules Michelet, en face de la colline qui prie, Fourvière. Lyon est en contrebas, le quartier de la Croix-Rousse n'est pas encore rattaché à la commune, ce qui permet notamment de ne pas payer l'octroi. Leur richesse provient de leur savoir-faire. Ils fabriquent des pièces qu'ils vendent aux commerçants de la soie et sont payés à façon. Ils font aussi travailler de nombreux ouvriers beaucoup plus modestes et souvent plus pauvres. En 1831, on estime le nombre de canuts à huit mille et à trente mille le nombre de compagnons que ceux-ci emploient.

Ce savoir-faire manuel est mis à mal par la mécanisation. En 1801, le Lyonnais Joseph Jacquard met au point un métier à tisser, le métier Jacquard, qui permet d'accroître la productivité. On en devine les conséquences. D'une part, celui-ci arrête le travail des enfants, qui étaient employés notamment pour des tâches spécifiques que ce métier arrive désormais à faire. Ensuite, il réduit le nombre d'ouvriers nécessaire. Il produit plus et il assure une baisse des prix, ce qui permet aux consommateurs d'accéder à des biens de consommation qui leur étaient autrefois inaccessibles. Mais cela bouleverse l'ordre social des canuts. Ces métiers coûtent cher et donc seules des entreprises avec de grands capitaux peuvent assurer les investissements nécessaires à leur achat. La hiérarchie sociale traditionnelle où les canuts tenaient le haut du monde ouvrier avec les compagnons comme affiliés est bouleversée. Désormais, les patrons peuvent acquérir les machines et former eux-mêmes les ouvriers à leur usage. Le compagnonnage n'est alors plus d'actualité. La confrérie des canuts non plus. Cette révolte, c'est celle d'un refus du changement, d'une difficulté à passer d'une société à une autre, d'appliquer, dans les faits, les transferts d'emplois et les conséquences de l'accroissement de la productivité si bien démontrées par Jean Fourastié. Les canuts ne veulent pas de ces machines qui détruisent leur monde. Ils souhaitent avoir également des augmentations salariales et demandent l'instauration d'un salaire minimum. Face à cette modernité, la révolte des canuts pose la question du chemin à suivre : celui du socialisme, avec ses tarifs décidés par l'État, le blocage de la modernité et du changement, la paix sociale immédiate achetée en sacrifiant le long terme, ou celui du libéralisme, avec le passage à une économie de capitaux, de transformations sociales et d'accroissement des biens matériels ? La réponse n'est ni simple ni évidente, car la réforme ne peut ignorer les drames rencontrés par ceux qui voient leur monde établi disparaître et qui ne peuvent pas s'adapter au monde nouveau qui émerge.

LA RÉVOLTE OUVRIÈRE

Il y a deux révoltes des canuts, en 1831 et en 1834. Le 21 novembre 1831, les canuts descendent sur Lyon. Ils dressent des barricades, ils attaquent la garde nationale qui est renversée. Le 23, la ville est prise. Le maire et le préfet ont fui. Mais que faire de cette victoire ? L'hôtel de ville est certes pris, mais on ne peut pas proclamer la république comme on le ferait à Paris. Le 24, le roi envoie le maréchal Soult et son fils aîné, Ferdinand d'Orléans, pour reprendre la ville et calmer l'insurrection. À la tête de vingt mille hommes, ils s'installent dans la banlieue de Lyon. Ils sont prêts à l'action, mais ils se refusent à causer des morts inutiles. Le 3 décembre, ils entrent dans la ville, sans effusion de sang. Les meneurs sont arrêtés, soit quatre-vingt-dix hommes. Aucun n'est condamné à mort. Le salaire minimum est aboli, un fort est construit près de la Croix-Rousse pour surveiller de plus près cette commune dangereuse. La révolte se termine de façon plutôt pacifique et sans réelle revendication politique. Mais pour l'extrême gauche républicaine, elle devient un motif romantique de grande révolution populaire. Des instructeurs sont envoyés de Paris pour former des meneurs et pour politiser le mouvement. Dans les années 1970, on appelait cela de l'agitation-propagande. À gauche, la mythologie canut commence à émerger. On y voit l'occasion de mener une grande révolution, cette fois en s'appuyant sur les ouvriers. La révolte ne vient plus des paysans qui attaquent les châteaux de leurs seigneurs, comme on a essayé de le faire croire sous la Révolution, mais des ouvriers qui se révoltent contre les bourgeois. On entre dans la dialectique de la lutte des classes. Cette révolte a été une source d'inspiration pour Marx et Proudhon. Ils en font la naissance du mouvement ouvrier socialiste, ce qu'elle n'était absolument pas.

LA SANGLANTE SEMAINE

Cette agitation débouche sur la révolte d'avril 1834, que les autorités n'ont pas vu venir. Pour faire face à la concurrence, les patrons d'usine diminuent les salaires de leurs ouvriers, ce qui suscite bien évidemment un grand mécontentement. Travaillés par l'agitation républicaine, les canuts se révoltent le 9 avril et publient un ordre du jour qu'ils datent du 22 germinal an XLII de la République. C'est la révolution qui recommence ! Le 10 avril, de nombreux quartiers de Lyon sont aux mains des insurgés, le drapeau noir flotte sur les bâtiments. C'est alors Adolphe Thiers qui est ministre de l'Intérieur, c'est donc à lui que revient la tâche de résoudre le problème. Il décide de retirer les troupes de la ville, de l'encercler, d'attendre que la situation pourrisse et que la population se retourne contre les émeutiers pour ensuite attaquer et reprendre la ville. Appliquée à Lyon, cette méthode a fonctionné. Trente-sept ans plus tard, il emploiera la même méthode à Paris, pour mater la Commune. Le 12 avril, la troupe attaque les quartiers périphériques pour les reprendre. Des bâtiments sont bombardés par le canon, les soldats avancent rue par rue. Le 15 avril, la ville est reprise. On recense six cents morts chez les insurgés. Plus de dix mille personnes sont arrêtées, qui seront jugées à Paris en 1835. Parmi elles, beaucoup sont déportées et emprisonnées. Ainsi s'achève la Sanglante Semaine du 9 au 15 avril 1834 qui a vu la répression de la seconde révolte des canuts. Celle-ci est beaucoup plus politique que la première, beaucoup moins sociale, ce qui explique notamment le nombre de morts plus important. La Sanglante Semaine fit des émules. En 1871, on parlera de Semaine sanglante quand les communards se sont retrouvés acculés au mur du cimetière du Père-Lachaise où s'est achevé leur rêve de sans-culottes et de commune populaire. Dans les deux cas, c'est Thiers qui est à la manœuvre, l'homme d'ordre honni par la gauche républicaine.

IRRUPTION DE LA MYTHOLOGIE SOCIALISTE

La révolte n'a pas empêché l'essor de la productivité et la poursuite de la mécanisation, qui permettent aux consommateurs (dont les ouvriers font aussi partie) d'acquérir à moindre coût des biens de consommation autrefois inaccessibles. Elle témoigne de l'ambiguïté de la défense des avantages acquis des opposants perpétuels à la réforme. Cette défense est profondément réactionnaire et entrave la modernisation du pays, qui elle seule permet une amélioration des conditions de vie.

La révolte des canuts est le premier épisode de cette extrême gauche révolutionnaire issue de la bourgeoisie et qui affirme parler au nom du peuple, adepte du coup de feu et du sang versé et qui ne voit de solution que dans la violence. C'est là l'autre enseignement des canuts. Qu'est-ce qui assure le progrès social ? Ni la lutte ni la révolution, mais la productivité. C'est elle qui a mis un terme au travail des enfants, qui a provoqué la hausse des salaires et la baisse du temps de travail et qui a donc permis d'améliorer, notamment, la vie des ouvriers. Cet essor de la productivité, c'est entre autres aux patrons, aux capitaux et aux libertés que nous le devons.

Paris et les barricades : les années troubles

La révolution permanente ; c'est là le vieux rêve révolutionnaire qui croit que les réformes et les améliorations de la vie s'obtiennent par la lutte, le coup de force et la violence. Autant de vieilles lunes qui oublient que le vrai progrès social est le fruit de l'essor de la productivité, permis par l'accumulation du capital, la mécanisation et le partage des connaissances. Paris la Rouge, avec son cortège de manifestations, de rues bloquées, de trains arrêtés, de grèves et de grandes fêtes de l'Huma. Des petits joueurs, serait-on tenté de leur rétorquer, quand, au XIXe siècle, la lutte sociale est une lutte armée et qu'elle se paye en vies. Les canuts à Lyon, les barricades à Paris, on combat et on s'affronte les armes à la main. La poudre accompagne le drapeau rouge et l'on est prêt à réellement renverser l'ordre social. Preuve aussi que si le dialogue est parfois encore bloqué, notre société est tout de même plus policée et civilisée qu'elle ne l'était au XIXe.

PARIS LA ROUGE

Avant les travaux d'Haussmann, le Paris d'alors est bien différent de celui d'aujourd'hui. Montmartre, Passy et Auteuil sont des villages où l'on vient se reposer. La bourgeoisie à l'ouest, le peuple au nord. Situés en avant de l'octroi, les cabarets ne sont pas soumis aux taxes sur les boissons. On en profite pour faire de l'optimisation fiscale en ouvrant boutique dans ces villages campagnards aux portes de Paris. Les moulins se transforment en lieux de plaisir et de détente, les bals populaires apparaissent, le vin coule à flots. Celui-ci vient d'Argenteuil, le fameux « bleu » qui abreuve les ouvriers parisiens. Pas encore de dalle dans ce qui est aujourd'hui l'une des plus grandes villes d'Île-de-France, mais des coteaux qui descendent doucement vers la Seine où les pieds de vigne poussent et produisent la boisson populaire. Paris est bien petit et la campagne s'y mêle. On trouve des champs, des vaches et des fermes à sa périphérie, dans les villages qui seront annexés sous le Second Empire. En ville, la population s'entasse et se mêle. Pas de dichotomie sociale mais, souvent, les classes aisées habitent au premier étage et les classes populaires dans les étages supérieurs. La concentration de population favorise le développement des maladies. On dit et l'on répète que Napoléon III a aménagé Paris et fait percer de grands boulevards pour éviter les émeutes et les barricades. Rien n'est plus faux. Ces ragots participent à la légende noire du Second Empire. La vraie raison est de faire de Paris une capitale moderne et spacieuse, et d'ouvrir les espaces pour permettre à la population et à l'air de circuler et aux voitures de se déplacer. Les grands boulevards doivent faire de Paris la capitale du monde, qui attire les intellectuels comme les hommes de la finance. Du reste, les grandes avenues n'ont empêché ni la Commune ni les combats de la Résistance ou les émeutes de mai 1968. L'hygiène est une véritable préoccupation parce que le pays reste traumatisé par l'épidémie de choléra de 1832.

LA PANDÉMIE DE CHOLÉRA

Comment s'imaginer un monde où l'anesthésie n'existe pas, où les microbes et les virus peuvent facilement créer des pandémies mortelles, où les médicaments sont réduits à la portion congrue, où la médecine n'affiche pas encore les victoires d'aujourd'hui ? C'était mieux avant, nous dit-on, mais certainement pas en 1832 quand le choléra frappe aux portes de l'Europe. Les grandes épidémies viennent souvent d'Asie : la peste noire venait d'Asie mineure, le choléra s'est déclenché en Inde. Le choléra est une bactérie qui se transmet par

l'eau ou les aliments souillés. Elle provoque des diar-
rhées violentes et une forte déshydratation qui entraîne
la mort en quelques jours. On ne parle pas encore de
mondialisation alors même que nous y sommes déjà.
Cette pandémie naît en Inde, dans les années 1826.
Par les voyageurs et les commerçants, elle se transmet
en Russie, en Pologne et dans les pays scandinaves,
puis en Grande-Bretagne et en France en mars 1832.
En six mois, l'épidémie tue vingt mille personnes rien
qu'à Paris. Dans la capitale, cent dix personnes meurent
chaque jour à cause de cette maladie. Il n'y a rien à faire,
si ce n'est partir. La famille Tocqueville quitte son quartier pour aller à la campagne en attendant que les choses
passent. On enterre les morts, on tente de soigner tant
bien que mal, sans comprendre vraiment les origines de
la maladie. Celle-ci touche Marseille, qui garde encore
le souvenir de l'épidémie de peste de 1720. Toutes les
villes sont concernées, avec de forts taux de mortalité.
Le chef du gouvernement, Casimir Perier, contracte la
maladie en rendant visite à des malades, accompagné
du dauphin Ferdinand d'Orléans. Il décède quelques
jours plus tard. Le roi Charles X, en exil dans l'empire
d'Autriche, meurt aussi de cette maladie. De même
pour Champollion et le philosophe allemand Hegel,
qui lui décède à Berlin en novembre 1831, l'Allemagne
ayant été touchée plus tôt que la France. La liste des
morts est extrêmement longue. Il faut ensuite évacuer

les cadavres et réparer les traumatismes subis par la population. C'est l'Italien Filippo Pacini qui parvient à isoler le bacille en 1854, avant que Robert Koch ne complète ses travaux en 1884, celui-là même qui isola aussi la bactérie de la tuberculose. On associe souvent l'histoire à la politique en ne voyant les grands hommes que dans les chefs d'État ou les militaires. C'est oublier que les médecins, notamment à partir du XIXe siècle, ont beaucoup fait pour sauver les vies et pour améliorer les conditions de vie des populations. On peut imaginer le traumatisme que représenta pour Paris la mort de près de vingt mille personnes en six mois. C'est une autre échelle qui fait mesurer l'importance des travaux de Pasteur et des découvertes des médecins.

ÉMEUTE À L'ENTERREMENT

Toutefois en France, pays éminemment politique, la révolution n'est jamais loin du drame. Le 1er juin 1832 décède le général Lamarque, soixante-deux ans. Il a participé aux guerres de la Révolution et de l'Empire et il s'est rallié à la République. Il est extrêmement populaire parmi la jeunesse républicaine qui voit en lui un de ses héros. Décédé à cause du choléra, sa mort est un drame pour de nombreux Parisiens qui transforment ses obsèques en manifestation politique. Le 5 juin, ils sont des milliers à accompagner le cortège funèbre. La tristesse est de mise bien sûr, mais aussi les drapeaux rouges et noirs. La foule s'excite et attaque les soldats chargés du maintien de l'ordre. L'émeute part et se répand dans Paris. Les bâtiments officiels sont attaqués, les ponts sont coupés, les boulevards sont dressés de barricades. Le roi est à Saint-Cloud. Il rentre précipitamment aux Tuileries pour s'assurer la fidélité de ses troupes et il les envoie contre les insurgés. Décision courageuse car, revenant au cœur de la mêlée, il court le risque d'être capturé, mais c'est pour lui la seule façon de mettre la main sur Paris et sur les rênes du pouvoir. La Fayette avait participé à cette insurrection, mais comprenant son échec il se réfugie en province. Le vieil aristocrate, présent dans tous les coups révolutionnaires depuis 1789 et assurant la caution morale de tous les régimes, finit par mourir en 1834. Face à l'insurrection, le roi proclame l'état de siège. L'armée peut intervenir plus librement et faire arrêter les fauteurs de troubles, même si les juges se montrent souvent très conciliants à leur égard. L'insurrection est stoppée, mais le roi a eu chaud. On a trop souvent une vision téléologique de l'histoire : à savoir que les événements qui sont arrivés devaient nécessairement avoir lieu. Or rien ne dit que la monarchie de Juillet devait tomber en 1848. Louis-Philippe aurait très bien pu mourir sur le trône et transmettre le pouvoir à son fils. Comme son régime aurait pu être renversé en 1832 et ainsi ne durer que deux ans. Les historiens expliqueraient alors le pourquoi de la brièveté de ce régime, comme ils expliquent aujourd'hui pourquoi il a duré si longtemps et quels furent les facteurs de sa stabilité. Dans *Les Misérables*, Victor Hugo a décrit l'insurrection de 1832. On y voit Marius sur les barricades, cherchant Cosette malgré tout. Gavroche tente de récupérer des cartouches laissées par les soldats, avant de mourir abattu par une balle sur la barricade de la rue de la Chanvrerie. Le roman d'Hugo a son drame lors de ces journées de juin 1832, quand le régime nouveau aurait pu chuter. L'opinion est chauffée à vif et ni l'épidémie de choléra qui continue de tuer, ni la répression policière ne semblent être en mesure de refréner le désir de révolution.

LE HUSSARD SUR LE TOIT

C'est que la France sait lier la politique et la littérature. Après Victor Hugo qui situe une des actions des *Misérables* lors des émeutes de 1832, c'est Jean Giono (1895-1970) qui reprend la thématique de l'épidémie de choléra pour en faire le cadre de son roman *Le Hussard sur le toit* (1951). Angelo Pardi, aristocrate italien et révolutionnaire lié aux *carbonari*, fuit le Piémont et se retrouve en Provence touchée par l'épidémie. On

le voit à Manosque, la ville de Giono, fuyant les soldats qui veulent l'arrêter en se réfugiant sur les toits. Il
y rencontre Pauline de Théus, qui l'accueille et le sauve.
Tous les deux partent sur les routes provençales, échap-
pant à l'épidémie et à la troupe. Émeutes, insurrection,
pandémie, morts par milliers, les premières années de ce
nouveau régime sont loin d'être calmes.

Paris : le laboratoire du socialisme

La France n'est pas seulement le pays du libéralisme, c'est aussi la terre où est née une grande partie des penseurs socialistes et où cette doctrine s'est amplement développée. Avant que Marx ne gagne son OPA sur ces mouvements et que « marxiste » et « socialiste » ne deviennent synonymes, plusieurs penseurs ont développé d'autres voies du courant socialiste. La gauche française elle-même ne s'est convertie au socialisme qu'au tournant des années 1900, notamment sous l'influence de Jean Jaurès, et ce n'est qu'en 1936 que les socialistes ont pris les rênes d'un gouvernement, avec Léon Blum, avant de devenir hégémoniques après la Seconde Guerre mondiale. Au XIXᵉ siècle, la gauche est républicaine, mais elle n'est pas socialiste. Et les socialistes sont très peu représentés à l'Assemblée. C'est dans la rue et par les brochures et les pamphlets qu'ils diffusent leurs idées et tentent de renverser l'ordre établi pour imposer le leur. Une expérience ratée lors de la révolte des canuts en

1834, qu'ils tentent de réitérer en juin 1848, puis sous la Commune, en 1871. Les générations se succèdent et c'est ainsi que se tisse l'histoire d'un mouvement intellectuel qui défend l'égalité, qui veut araser la société et abolir la propriété privée. Barbès, Blanqui, Proudhon, quelques noms d'hommes pour qui la vie fut un combat permanent ponctué d'escarmouches, de coups d'État, de barricades et de prison. Des années 1820 aux années 1870, on les retrouve dans toutes les tentatives de renverser l'ordre existant pour établir un nouvel ordre issu de leur imagination. Anarchisme, socialisme, ultra-gauche, ils sont convaincus que l'élection ne permettra pas de porter leurs idées au pouvoir. Pour cela, il faut agir. C'est l'action directe qui prédomine, pour une vie faite de clandestinité, de trahisons et de défaites.

ARMAND BARBÈS, CONSPIRATEUR IMPÉNITENT

Armand Barbès (1809-1870) est l'un des premiers du siècle à porter cette exigence révolutionnaire. Cette génération se sent maudite, car elle n'a pas eu la chance de connaître la grande Révolution de 1789. Elle est née trop tard pour participer aux combats de la Convention et aux journées de lutte contre le roi. Ils voient leurs aînés comme des héros dont ils s'estiment redevables. Mais pour eux, la Révolution n'est pas terminée et c'est leur rôle de l'achever. Elle a été trahie par la classe bourgeoise, trahie aussi par Napoléon et par tous ceux qui ont profité du changement d'ordre social. Ils rêvent de rééditer les combats de leurs aînés, de porter les armées françaises partout en Europe et notamment sur la rive gauche du Rhin, d'œuvrer pour une Internationale européenne qui pourra diffuser les idées révolutionnaires et semer le trouble à Paris. Bien évidemment, Louis-Philippe est le roi honni. Il est leur Louis XVI, l'homme qui doit être abattu. Le 28 juillet 1835, il s'en est fallu de peu que leur rêve de renversement n'aboutisse. Ce jour-là, Louis-Philippe passe la garde en revue pour commémorer les cinq ans des journées de Juillet quand plusieurs détonations retentissent. Le roi et ses trois fils en sortent miraculeusement indemnes alors qu'autour d'eux c'est la désolation. Treize personnes ont été tuées sur le coup, six autres décèdent dans les heures qui suivent. Au troisième étage d'un immeuble, le révolutionnaire républicain Giuseppe Fieschi a installé sa machine infernale : une arme à feu composée de vingt-cinq canons de fusils juxtaposés allumés par une seule mèche. Nombreux sont les chefs d'État à essuyer des attentats et nombreux ceux qui sont tombés sous leurs balles. La violence politique est alors très forte. La démocratie et le parlementarisme sont loin d'être acceptés par tous et plusieurs voient dans la lutte armée le moyen d'aboutir à leurs fins.

Barbès est de ceux-là. Il crée plusieurs sociétés secrètes afin de mener ses coups de force, dont la Société des saisons, qu'il dirige avec Auguste Blanqui. À eux deux ils organisent le coup d'État du 12 mai 1839 afin de se débarrasser de Louis-Philippe. Mal préparé, il échoue et Barbès se retrouve en prison. Il est persuadé que Blanqui l'a trahi, ce que vient confirmer le document Taschereau paru en mars 1848. Ce document, qui émane de la préfecture de police de Paris, relate la déposition anonyme d'une personne qui dénonce la Société des saisons. Pour Barbès, ce dénonciateur anonyme ne peut être que Blanqui, car lui seul est au courant des informations données. Blanqui n'a cessé de démentir, disant que c'était un faux créé par le cabinet noir de Guizot. Aujourd'hui encore rien n'est tranché. Quoi qu'il en soit, faux ou vrai, la rupture entre les deux frères du socialisme révolutionnaire est consommée et cela brise le mouvement jusqu'à l'arrivée d'une nouvelle génération. Les passions à vif s'exercent aussi à l'encontre des révolutionnaires.

AUGUSTE BLANQUI, « L'ENFERMÉ »

Son surnom en dit long sur le nombre d'années que celui-ci a passé en prison. Auguste Blanqui (1805-1881) est le frère cadet d'Adolphe Blanqui, économiste libéral, partisan du libre-échange, fondateur du *Journal des éco-nomistes* où écrivit Bastiat et ami de Jean-Baptiste Say. À l'aîné, le libéralisme, au cadet le socialisme révolution-naire. Le journal d'Auguste s'appelle *Ni dieu ni maître*, formule appelée à devenir la devise des anarchistes. On imagine que les repas de famille ont dû être animés. Blanqui a été lui aussi de tous les combats contre tous les régimes. Monarchie de Juillet, IIe République, Second Empire, Commune, IIIe République naissante, contre tous il a porté la flamme de ses idées et le choke de son fusil. Condamné à mort en 1840 à la suite du coup d'État de 1839, sa peine est commuée en perpé-tuité. Il est gracié par le roi en 1847, ce qui lui permet de repartir à l'action dès l'année suivante. La violence est pour lui le cadre légitime de l'action politique et la révolution le seul moyen d'imposer ses idées. Il a fallu tout un travail intellectuel des socialistes, notamment en Allemagne avec Eduard Bernstein et Ferdinand Lassalle, pour que la lutte armée soit abandonnée au profit de la participation au processus législatif. Cette crise du révisionnisme, qui aboutit à la naissance et à la reconnaissance de la social-démocratie, n'est absolu-ment pas partagée en France où, si le socialisme aban-donne Barbès et Blanqui, c'est pour mieux adhérer aux thèses de Marx.

UN PARISIEN NOMMÉ KARL MARX

Il est arrivé à Paris en 1843, chassé de Prusse à cause de ses écrits polémiques. À Paris, Marx fréquente les milieux socialistes. Il rencontre Proudhon, dont il est l'ami avant de devenir un vif contradicteur. C'est dans la capitale française qu'il rencontre également Engels, à l'automne 1844, avec qui une amitié très forte se tisse. Ensemble, ils écrivent plusieurs livres et articles, avant d'être expulsés de France en 1845 à la demande de la Prusse. Marx se réfugie à Bruxelles. Il revient à Paris au moment de la révolution de 1848 pour s'opposer dès ses débuts à l'action de Louis-Napoléon Bonaparte. Ainsi se croisent à Paris les penseurs libéraux et les économistes comme les activistes socialistes, les anarchistes et les révolutionnaires. La capitale de la France vit le bouillonnement intellectuel de l'Europe et fabrique des idées qui seront structurantes pour les décennies à venir. Pierre-Joseph Proudhon (1809-1865) est l'un de ces penseurs activistes qui agissent et écrivent pour défendre leurs idées.

UN OUVRIER EN TERRE BOURGEOISE

Tous les autres penseurs du socialisme sont des bourgeois plus ou moins fortunés ou plus ou moins ruinés. Proudhon, lui, est un ouvrier typographe travaillant en imprimerie. Brillant élève, il a fait des études jusqu'au baccalauréat. S'il travaille de ses mains, il sait aussi manier les idées. Sa pensée est foisonnante et multiple. Théoricien de l'anarchisme, il se veut fédéraliste et mutualiste. Il tente de penser la communauté autrement que structurée par l'État. Attaquer l'État, le capitalisme, la propriété, tout ce qui fonde la société. Il est d'ailleurs curieux et contradictoire que ces mouvements anarchiques, donc opposés à l'État, aient abouti à une survalorisation de celui-ci et à un étatisme important. Alors qu'ils ont lutté les armes à la main pour libérer les personnes de la tutelle du gouvernement, leurs œuvres et leurs idées ont construit un mouvement qui a asservi la personne au profit de l'État. L'ouvrage le plus célèbre de Proudhon est probablement *Qu'est-ce que la propriété ?* dont on retient la formule célèbre : « La propriété, c'est le vol. » Anarchiste jusqu'au bout, il a combattu avec véhémence cette propriété que Bastiat estime pourtant être un bien naturel. Sans propriété privée, il n'y a plus de liberté humaine ni de développement possible. Enfermés dans leurs utopies, ces socialistes révolutionnaires se sont consumés dans les luttes sans parvenir à réellement améliorer la situation des ouvriers qu'ils étaient censés défendre. Alexis de Tocqueville les a vus à l'action durant les journées révolutionnaires de 1848 et il en a gardé une profonde aversion pour leur doctrine. Le socialisme, dit-il, c'est l'amour passionné de l'égalité jusque dans la servitude. Il vise à une révolution sociale, non pas à une révolution politique. Trois traits le caractérisent : il flatte les passions matérielles, il diminue le poids de l'individu, réduit à un mineur sous tutelle face à l'État, et il veut détruire la propriété privée. Finalement, celui-ci aboutit à une guerre civile permanente en montant les classes les unes contre les autres. Cette utopie, il a fallu bien du temps aux socialistes français pour s'en défaire.

Comme la France a changé

Dans ses *Trente Glorieuses ou la Révolution invisible* (1979), Jean Fourastié a donné une méthode sûre aux historiens de l'économie pour comprendre et analyser les évolutions d'une période : se détacher des sentiments et des impressions pour collecter les faits, les chiffres, les données, seuls capables de présenter réellement les évolutions d'une société. Les écrivains ont beaucoup de talent, mais leur description des rues de Paris, des conditions de vie des ouvriers ou de celles des campagnes sont souvent trop teintées de sentimentalisme et d'effets littéraires pour décrire et analyser vraiment la réalité. Ainsi va *Germinal* de Zola. Un beau roman certes, mais qui insiste tellement sur la noirceur des mineurs qu'il ne voit pas les enrichissements, les améliorations des conditions de vie et les bonheurs quotidiens. Une histoire en noir et blanc à laquelle manquent les couleurs de la vie.

Dans ce XIXe siècle qui semble figé, les conditions de vie des Français se sont pourtant nettement améliorées.

Le pain est ainsi l'élément de base de la plus grande partie de la population, or son prix ne cesse de diminuer.

En 1820, il faut 2,2 heures de travail à un manœuvre pour s'acheter 1 kilo de pain. Si lui et sa famille, une femme et trois enfants, consomment 400 grammes de pain par repas et par personne, cela représente presque 5 kilos de pain par jour, soit presque 11 heures de travail pour gagner de quoi se nourrir. Au cours de cette période, le prix du pain ne cesse de diminuer, permettant soit de travailler moins, soit de consacrer ses revenus à autre chose que l'achat de nourriture :

Prix réel du kilo de gros pain en France en salaire horaire de manœuvre (combien d'heures doit travailler un manœuvre pour se payer un kilo de pain)

Année	Heures/1 kg
1709	3
1820	2,2
1830	2,35
1870	1,90
1900	1,2
1925	0,75
1939	0,52
1952	0,48
1960	0,26
1972	0,2
1980	0,17

(Chiffres statistiques fournis par Jean Fourastié dans *Pourquoi les prix baissent*, 1984.)

Cette baisse du prix du pain est rendue possible par la baisse du prix du blé :

**Nombre d'heures de travail nécessaires
à un ouvrier pour s'acheter 100 kilos de blé**

Année	Heures/100 kg
1709	566
1710	406
1715	205
1800	211
1820	181
1830	149
1840	134
1850	144
1860	132
1870	136
1880	97
1900	72
1930	36
1960	14
1980	4,9

(Chiffres statistiques fournis par Jean Fourastié dans *Pourquoi les prix baissent*, 1984.)

La baisse du prix du blé est continue tout au long de la monarchie de Juillet. En 1840, un manœuvre devait travailler 134 heures pour s'acheter 100 kilos de blé, contre 181 heures en 1820. En vingt ans, c'est donc

47 heures de travail économisées. Pour une journée de dix heures de travail, c'est donc cinq jours de travail en moins, presque une semaine. Ces statistiques, patiemment collectées par Jean Fourastié pour son laboratoire du Conservatoire national des arts et métiers, illustrent les évolutions des conditions de vie et la très nette amélioration du sort des ouvriers. Certes, c'est encore peu pour la période de Juillet, mais c'est déjà un net progrès par rapport aux époques antérieures : 181 heures de travail en 1820, 211 en 1800. Nous indiquons aussi les terribles chiffres des années 1709-1710. C'est la dernière famine qui a sévi en France. Le prix du pain double, voire triple dans certaines régions par rapport aux années précédentes. Les morts s'accumulent le long des routes et dans les villes, la mortalité explose, laissant un souvenir de chaos pour ces dernières années du règne de Louis XIV.

La baisse du prix du pain est permise par la mécanisation et donc l'accroissement de la productivité. Cela permet de disposer d'une nourriture moins chère, mais aussi d'accroître la rémunération des plus faibles. En 1831, la France produit 52 millions de quintaux de blé, 66 millions en 1850 et 74 millions en 1870. Plus de blé produit, c'est plus de monde nourri et pour moins cher. Ce sont la population qui s'accroît, la mortalité qui diminue, les conditions de vie qui s'améliorent, les Français pouvant diversifier leurs achats : non plus seulement de la nourriture, mais aussi des biens de consommation.

Le tableau montre aussi la hausse des prix des années 1848-1850, qui est due à une série de mauvais hivers et donc de mauvaises récoltes. Cela fut en partie à l'origine de la révolte de février 1848 et du renversement du trône.

UNE HISTOIRE DE VACHES

A priori, l'histoire des vaches en France semble être un sujet anecdotique. Pourtant, étudier l'évolution du cheptel français permet de saisir les évolutions techniques connues par la France. En 1820, le poids moyen des animaux en France est deux fois inférieur à celui des bêtes anglaises, ce qui est insuffisant pour nourrir une population en expansion. Les vaches ont une triple fonction : produire du lait, fournir de la viande et servir de force de travail. Dans ces trois domaines, il apparaît indispensable d'améliorer les performances. L'amélioration bovine vient d'Angleterre et du rôle joué par un éleveur désireux de perfectionner les races, Robert Bakewell (1725-1795). Il est un des premiers à faire des croisements pour améliorer les races locales, afin qu'elles soient plus grosses et plus productives. Dans sa ferme du nord de l'Angleterre, il veille à améliorer la nourriture et l'embouche des animaux. Deux élèves de Bakewell, les frères Colling, sélectionnent une race de vache issue de la vallée de la Tees, la Shorthorn, connue en France sous le nom de Durham. La nouvelle race sélectionnée se révèle excellente. Elle a un très bon répondant à l'engraissement, elle est précoce et elle a de très bons rendements laitiers. C'est elle que les Français importent massivement et qui sert de base à la régénération du cheptel. Vers 1840, 100 hectares en Angleterre permettent de nourrir 75 bêtes à cornes contre 20 en France. Le retard de cette dernière est patent. De plus, le poids moyen des bêtes en Angleterre est de 277 kilos contre 175 kilos en France. Pour conjurer ce retard, il est décidé d'importer des animaux anglais pour développer le cheptel français. Cela commence par les chevaux (pur-sang anglais) et concerne ensuite tous les autres animaux. Pour les bovins, c'est le Durham qui est choisi. Ils arrivent en 1836 à l'École vétérinaire d'Alfort. Trois cents bêtes ont été importées. Des vacheries sont créées pour produire des animaux purs, qui sont ensuite envoyés dans les régions pour s'accoupler avec les vaches locales.

LES CONCOURS AGRICOLES

En 1843 est créé le concours de Poissy, dont la première édition se tient en 1844. L'objectif est de susciter l'émulation chez les paysans en récompensant les meilleures bêtes, avec des prix importants et des médailles. Pour qu'il y ait concours, il faut définir des critères indiscutables : physionomie de l'animal et poids. Les concours se doivent de réunir beaucoup de monde pour susciter une émulation nationale. Ceux de Poissy se déroulent de 1844 à 1867, année où ils sont remplacés par ceux de la Villette, où se trouvent les abattoirs de Paris. Les concours se tiennent au début de la semaine sainte. D'une part parce que c'est la meilleure période pour les animaux (fin de l'hiver, début du printemps), d'autre part parce que c'était autrefois la coutume que de primer un animal gras pouvant être abattu pour le jour de Pâques.

Les Durham remportent la plupart des prix, ce qui suscite le grand mécontentement des éleveurs. En 1850, des modifications sont apportées. On sépare les Durham des races françaises, au motif que les premiers sont pour la viande et les secondes pour le trait. Est créé également un concours de reproducteurs. C'est la période où le Durham est l'espèce la plus cotée, le prix de vente d'un Durham étant de 2325 francs contre

475 francs pour un taureau de race française. En 1856 est créé le Concours universel agricole de Paris, à l'occasion de l'Exposition universelle. Celui-ci se tient au palais de l'Industrie, au rond-point des Champs-Élysées. Il devient ensuite le Concours général de Paris, qui se tient encore chaque année lors du Salon de l'agriculture.

Le succès de cette sélection est tout à fait tangible. En 1862, le poids moyen des bêtes est de 324 kilos, allant de 117 kilos en Corse à 470 kilos en Seine-et-Oise. Dans les départements, s'il y a des races dominantes, il y a malgré tout une grande hétérogénéité et de nombreuses races peuvent cohabiter. À l'orée du xxᵉ siècle, le cheptel français s'est largement modernisé. La vache est traitée comme un outil de production, au même titre que les machines de l'industrie.

UN RÉVÉLATEUR DES ÉVOLUTIONS SOCIALES

Anecdotique, l'histoire des vaches ? Pas vraiment, car elle est révélatrice des améliorations profondes de la société. Une vache plus grosse, c'est une viande et un lait moins chers. C'est donc une alimentation plus abordable et plus saine. Ce sont aussi plus de bras qui se libèrent de l'agriculture pour aller dans l'industrie et des paysans qui gagnent davantage. Ce sont enfin les produits dérivés qui deviennent plus accessibles :

le beurre, donc les pâtisseries ; le cuir, donc les chaussures et les vêtements. Ces séries statistiques sont certes arides, mais elles sont plus révélatrices des évolutions de la vie que les descriptions souvent larmoyantes des écrivains. Elles montrent aussi l'impasse du courant de pensée antimachine et antimodernité. C'est tout un courant réactionnaire œuvrant dans la littérature qui n'a cessé d'attaquer la machine, la voyant comme dégradante pour l'homme, alors qu'elle en est sa libératrice. Des intellectuels qui, souvent, n'ont pas travaillé de leurs mains et n'ont qu'une faible compréhension des processus économiques. Mais, philosophes, sociologues, écrivains, ils ont pu regretter le monde qui s'en va, l'avant qui était meilleur et l'autrefois qui conservait ses rêves. C'est Simone Weil qui s'horrifie de la machine et du progrès : « Argent, machinisme, algèbre ; les trois monstres de la civilisation actuelle. » Ou encore Oswald Spengler, le théoricien de la chute des civilisations : « On a senti le diable dans la machine et on n'a pas tort. » Un courant réactionnaire s'en prend au capitalisme, à la science, aux inventions, tout en défendant la lutte contre la pauvreté. La haine de la machine sert de prétexte pour attaquer le libéralisme, puisque celui-ci la défend comme facteur de progrès humain et social. C'est encore Jean Fourastié qui a vu juste lorsqu'il explique dans *Le Grand Espoir du XXᵉ siècle* que « La machine conduit l'homme à se spécialiser dans l'humain ». La machine permet à la vie de gagner du temps sur la mort, à l'homme de ne plus être acculé par le travail pénible, mais de dégager du temps pour le loisir. La civilisation des loisirs est d'abord celle de la victoire de la productivité, qui permet de travailler moins et de gagner plus. La monarchie de Juillet est au début de ce phénomène, encore peu perceptible par ses contemporains. Mais cet essor de la productivité a permis la richesse des nations, l'éradication du paupérisme, la sauvegarde des fragiles qui autrefois seraient morts. Elle permet aussi l'égalisation des conditions de vie. En 1840, les niveaux de vie sont très disparates entre les classes supérieures et les classes ouvrières. De nos jours, elles sont très faibles : les unes et les autres ont accès aux mêmes loisirs et aux mêmes biens de consommation. Le capitalisme a plus fait pour l'égalité que toutes les lois sociales. Dans son *Argent des Français* (2009), Jacques Marseille a calculé qu'en moyenne la richesse de la population a crû de 1,6 % par an entre 1843 et 2009, et cela indépendamment des régimes politiques. Il y eut des périodes où la croissance fut plus forte, d'autres où elle stagna, mais la tendance générale est à l'amélioration des conditions de vie. Cela, on ne le doit ni à la révolte des canuts ni aux gesticulations des écrivains socialistes, mais au patient travail des paysans et des ouvriers, aux inventions et aux améliorations des ingénieurs, qui permirent de faire baisser le prix du pain et de la viande, d'accroître le réseau ferré et d'améliorer les canaux. Et demain, après Juillet ? La voiture, l'électricité, les ascenseurs, les bateaux à moteur, le métropolitain et la bicyclette, les vaccins de Pasteur, la boîte de conserve, la radiotélégraphie. En 1848, la vie est pleine de promesses, mais les Français ne le savent pas encore.

« L'ordre à l'intérieur, la paix à l'extérieur » : la politique étrangère de la France

Notre époque pacifiste a du mal à se représenter le fait que jusqu'en 1914 la population française a poussé à la guerre. La tension nationaliste est extrêmement forte, portée par le souvenir de la Révolution et de l'Empire où les armées françaises ont renversé les trônes et où la gloire se gagnait encore le fusil à la main. Le peuple, dans son ensemble, est belliciste. Il pousse ses dirigeants à déclarer la guerre et à intervenir. Il rêve de renouer avec les gloires impériales. Alors que Napoléon était comparé à un ogre qui mangeait les enfants de France dans sa Grande Armée, alors que la paysannerie s'est lassée de la conscription obligatoire, le rêve napoléonien et belliciste a resurgi sitôt actée la chute de l'Empire. Les républicains rêvent de guerre et veulent renouer avec les affrontements de la révolution. Les monarchistes souhaitent la paix et le maintien de l'équilibre européen, tout en tentant de contenir la fièvre nationaliste et belliciste qui secoue les villes et les intellectuels. En 1870, c'est le peuple de Paris qui contraint Napoléon III à déclarer contre son gré la guerre à la Prusse. Le peuple rêve de revanche et de reprendre la rive gauche du Rhin. Il a fallu l'expérience des deux guerres mondiales, des destructions et des morts pour briser la passion guerrière et diffuser le pacifisme, parfois jusqu'à l'outrance. Sur ce plan-là, notre Europe actuelle est très différente de celle des années 1840. Louis-Philippe est parfaitement conscient de cette passion guerrière, d'autant qu'elle est portée par les républicains qui attisent les passions nationalistes pour espérer renverser le trône. Durant tout son règne, sa politique extérieure fut marquée par le réalisme et par le souci de l'équilibre entre les puissances européennes. Sans remettre en cause le congrès de Vienne (1815), il tente de corriger l'isolement de la France que ce congrès a provoqué, notamment en concluant une alliance avec l'Angleterre.

La politique étrangère de Louis-Philippe a deux dossiers importants à traiter : l'alliance avec l'Angleterre pour sortir la France de l'isolement et maintenir l'équilibre en Europe ; l'intervention en Orient pour stabiliser et contrôler les rives de la Méditerranée. Ces dossiers, il les aborde de façon réaliste, sans idéologie, et en ayant toujours le souci de l'équilibre des nations en Europe et de la centralité de la France dans cet équilibre européen.

« L'ordre à l'intérieur, la paix à l'extérieur »

L'ENTENTE CORDIALE

L'Angleterre fut le premier pays à reconnaître le nouveau régime, ce qui a permis de le légitimer aux yeux des autres chancelleries. Louis-Philippe a vécu une partie de son exil en Angleterre. Il connaît bien ce pays et l'apprécie, initiant une mode de l'anglophilie partagée par d'autres personnalités de la monarchie de Juillet. Entre Paris et Londres, les relations sont donc assez bonnes, même si elles connaissent des fluctuations au cours de cette période. Le roi est décidé à s'allier avec l'Angleterre, d'une part pour briser l'isolement de la France, d'autre part parce que rien ne peut se faire en Europe sans l'aval de Londres. C'est donc de concert que les deux pays gèrent la question belge, qu'ils s'accordent sur les problèmes dynastiques espagnols et qu'ils essayent de résoudre la crise polonaise. Les deux puissances ont intérêt à s'entendre : l'Angleterre ne veut pas d'un foyer révolutionnaire en France et la France a besoin du soutien anglais pour ses projets internationaux. Soldant les comptes de l'Empire et les mésaventures de Waterloo, Louis-Philippe initie le rapprochement franco-anglais qui, à bien des égards, est tout aussi important que la réconciliation franco-allemande après 1945. Naît ainsi en Europe un couple franco-anglais qui est le moteur du continent, jusqu'à l'émergence de la Prusse puis de l'Allemagne unifiée (1870). Les relations entre les deux pays ont toutefois été compliquées et marquées par de nombreuses tensions, notamment sur la question d'Orient. Ils sont souvent passés tout près d'un affrontement qui aurait risqué d'embraser le continent. C'est pour éviter cela que Louis-Philippe et Victoria s'engagent dans une entente cordiale. En 1843, fait exceptionnel, la reine d'Angleterre rend visite au roi de France dans son château d'Eu, en Normandie. C'est une première et c'est là une nouveauté majeure, car jusqu'alors un souverain ne se rendait pas dans un État étranger, si ce n'est à la tête de son armée. Cette rupture des conventions diplomatiques ouvre la voie à un temps nouveau en Europe. L'année suivante, c'est au tour de Louis-Philippe de se rendre en Angleterre, devenant ainsi le premier souverain français à effectuer une telle visite. Puis, en 1845, Victoria et son époux Albert reviennent en France pour une nouvelle visite d'État. Désormais, si les tensions peuvent surgir et les intérêts divergents demeurer, la réconciliation entre la France et l'Angleterre est scellée. Elle se poursuit sous le règne de Napoléon III, lui aussi très anglophile, et sous la IIIe République avec l'officialisation diplomatique de l'Entente cordiale (1904). Depuis 1815, la France et l'Angleterre n'ont plus jamais été en guerre l'un contre l'autre, ce qui est remarquable au regard de leur histoire tourmentée.

« L'ordre à l'intérieur, la paix à l'extérieur »

LA QUESTION BELGE

Les armées révolutionnaires ont occupé les provinces belges en 1794. Celles-ci ont été retirées à la France en 1814 et le congrès de Vienne les a réunies aux anciennes Provinces-Unies autrichiennes pour former le royaume des Pays-Bas, sous la souveraineté de la maison de Nassau. Le Royaume-Uni est très attentif à la neutralité de la Belgique et à ce que la France ne puisse pas contrôler les bouches de l'Escaut. Mais pour la gauche républicaine et revancharde, la Belgique est une province française, comme le furent ensuite l'Alsace et la Lorraine. Ce courant politique pousse donc à la guerre, ce que ne veulent ni Louis-Philippe ni l'Angleterre. Lorsque les Belges se soulèvent contre les Hollandais en août 1830, les républicains espèrent forcer le gouvernement à les soutenir et ainsi à annexer ces provinces. Pour le nouveau roi, le danger est grave. Il ne doit pas mécontenter son aile gauche, mais il ne peut pas non plus provoquer l'Angleterre qui refuse absolument toute présence française sur les bouches de l'Escaut. Louis-Philippe négocie finement, conseillé par Talleyrand qui joue là sa dernière pièce sur la scène diplomatique. Le roi des Français développe le principe de non-intervention : la France n'interviendra pas dans la question belge, à condition qu'aucune autre puissance – comprendre l'Angleterre – n'intervienne également. Ce principe de non-intervention connut par la suite un certain succès en Europe. Il avait le mérite d'éviter la propagation des guerres et de circonscrire les conflits. Talleyrand a caressé un temps l'idée de rattacher la Wallonie à la France et de former un royaume indépendant autour d'Anvers, idée refusée par lord Palmerston, le ministre des Affaires étrangères anglais. On assiste sur ce dossier à un changement de génération. Talleyrand, soixante-seize ans, est dépassé par les nouvelles figures de la diplomatie européenne que sont lord Palmerston, quarante-six ans, et le prince de Metternich, cinquante-sept ans ; ce dernier dominant l'Autriche et l'Europe depuis le congrès de Vienne. La France parvient néanmoins à faire valoir ses intérêts. Elle favorise l'indépendance des provinces belges, avec l'aide de l'Angleterre, et fait reconnaître les garanties d'un État autonome.

Mais qui mettre sur le trône de ce nouveau royaume ? Par prudence, Paris refuse que ce soit un Français, à condition que le nouveau monarque ne soit pas non plus autrichien. Les Bonaparte poussent l'un de leurs candidats, Auguste de Beauharnais, fils d'Eugène, ce qui est inacceptable pour Paris. Le Congrès national belge élit comme roi le duc de Nemours, l'un des fils de Louis-Philippe. Mais le roi réfute cette élection, tout comme il refuse que ce soit le fils du roi des Pays-Bas qui monte sur le trône de Belgique. Tous les candidats ayant été épuisés, c'est finalement un Anglais qui emporte la partie, Léopold de Saxe-Cobourg. Celui-ci est soutenu en sous-main par Talleyrand, alors ambassadeur à Londres. Louis-Philippe a de l'estime pour ce prince qu'il connaît bien. Il accepte de le voir monter sur le trône de Belgique, bien qu'il soit protestant et que la Belgique soit un pays catholique, à la condition qu'il épouse sa fille, Louise d'Orléans. Son fils, Léopold II, le roi du Congo, est ainsi le petit-fils de Louis-Philippe. L'Europe de cette époque est une Europe des familles, des cousins et des alliances dynastiques. Cette Europe-là dure jusqu'aux bouleversements de 1918 qui redessinent non seulement la carte de l'Europe, mais aussi son esprit.

QUAND L'ORDRE RÈGNE À VARSOVIE

Il ne reste rien de l'ancienne Pologne, démembrée en trois en 1795 entre la Russie, l'Autriche et la Prusse. La France a toujours eu des liens affectifs avec ce pays et ce peuple, considérant qu'il était de son devoir de le protéger. Louis XV a épousé une princesse polonaise et les artistes polonais, comme Chopin, viennent en nombre à Paris. Quand les Polonais se soulèvent en novembre 1830 puis qu'ils proclament l'indépendance de leur pays le 25 janvier 1831, toutes les forces intellectuelles et politiques de la France font cause commune avec eux et les soutiennent dans leur projet d'émancipation. La France soutient le principe des nationalités et l'indépendance des peuples. Soutenir est une chose, pouvoir intervenir en est une autre. Contrairement à la Belgique, il n'est pas possible d'envoyer des troupes en Pologne et le tsar Nicolas Ier n'est pas du genre à accepter une ingérence étrangère dans son empire. Louis-Philippe observe donc de loin l'armée russe entrer en Pologne et exercer sa répression. À Paris, l'opposition est vent debout. Elle veut renverser le ministère de Casimir Perier et obliger le gouvernement à intervenir. Casimir Perier essaye d'obtenir « la paix, sans qu'il en coûte rien à l'honneur ». C'est peine perdue. Les Polonais sont réprimés et l'indépendance du pays est remise à plus tard. Varsovie tombe le 8 septembre 1831. Pressé de questions, le ministre des Affaires étrangères Sébastiani se perd dans ses explications. La postérité a retenu de lui une phrase célèbre, mais apocryphe : « L'ordre règne à Varsovie. » Dans les esprits parisiens en tout cas, la passion nationaliste est à son comble.

LES TROUBLES EN ITALIE

Dans l'histoire de France, il y a une très ancienne tradition de politique italienne. Celle-ci remonte au moins à Saint Louis puis à Charles VIII et à l'époque des guerres d'Italie (1494-1559). La France reste fascinée par l'Italie et a longtemps souhaité contrôler la péninsule. La Révolution s'y est risquée avec la campagne menée par Bonaparte (bataille de Rivoli, 1797). Le royaume de Naples est contrôlé par des Bourbons et la France estime de son droit de surveiller le nord de la péninsule, notamment le Milanais et les cols des Alpes. La vallée de la Valteline fut l'une des zones les plus disputées au XVIIe siècle et Richelieu y conduisit de nombreuses batailles. Quand les troubles reprennent dans la péninsule, en 1831 et 1832, la France ne peut se désintéresser du problème. Mais l'Autriche aussi y est présente, elle qui en contrôle le nord. Cette Autriche de Vienne qui est le grand ennemi de la France, en dépit de l'alliance conclue par Louis XV avec le mariage du futur Louis XVI et de la jeune princesse Marie-Antoinette. Le mouvement des *carbonari* s'agite. Ses membres veulent l'unité de la péninsule. Ils sont manipulés et récupérés par le roi du Piémont qui aimerait bien faire l'unité autour de sa personne, c'est-à-dire annexer la Botte à son compte. Grâce à l'opportunité de Cavour, ce désir fut effectif dans les années 1860. Parmi les membres des *carbonari*, on trouve deux jeunes Français, Napoléon-Louis et Louis-Napoléon Bonaparte, fils de Louis Bonaparte et neveu de l'Empereur. Combattant les Autrichiens et les troupes pontificales, ils doivent se replier à Bologne. Durant le siège sévit une épidémie de rougeole qui emporte l'aîné, Napoléon-Louis, mais épargne le cadet. Louis-Philippe n'est pas mécontent de la mort de l'héritier des Bonaparte et de l'échec des *carbonari*. Quant à Louis-Napoléon, il en conserve une nostalgie de l'unité italienne, qu'il a servie une fois devenu empereur. Mais qui pouvait alors imaginer que ce jeune ambitieux perdu dans les combats des libéraux italiens succéderait un jour au roi des Français ? Pour le moment, Louis-Philippe se refuse à intervenir en Italie et il demande à l'Autriche cette même réserve de non-ingérence. C'est peine perdue. Vienne soutient les princes et les ducs renversés, à Modène, Florence, Milan ou Parme, et se porte garant de l'ordre établi et du maintien des principautés. L'unité italienne attendra. Mais pour une partie de la jeunesse d'Europe, c'est le combat à mener et le lieu où il faut être. Cette génération née dans les années 1800-1810 est prête à prendre les armes et à perdre la vie pour mener ce grand combat de l'unification des peuples.

« L'ordre à l'intérieur, la paix à l'extérieur »

LE CHAUDRON IBÉRIQUE

Entre Espagne et Portugal, ce sont deux visions de la monarchie et de la société qui s'opposent à travers deux prétendants possibles au trône. Monarchie libérale ou monarchie absolutiste ? Acceptation du régime parlementaire ou refus de celui-ci ? Société qui appelle à la modernité économique et sociale ou vision sociale fondée sur la terre et le maintien d'un certain ordre ancien et intemporel ? La question est posée dans la péninsule ibérique à travers les personnes d'Isabelle II, de don Carlos, de dom Miguel et de dom Pedro. La France de Louis-Philippe se doit d'agir, tout en se rappelant que c'est en Espagne que Napoléon s'est embourbé et a connu sa première défaite, annonciatrice de la chute finale. Le roi ne peut cautionner que des absolutistes montent sur le trône de Madrid et de Lisbonne : ce serait renforcer les légitimistes français et affaiblir son pouvoir. Mais il ne peut intervenir qu'avec prudence, afin de ne pas déplaire à l'Angleterre et ne pas s'enliser dans une guérilla qui pourrait lui être fatale. La partie n'est pas facile et il faut toute l'intelligence tactique de Louis-Philippe pour en tirer bénéfice.

En Espagne, le roi Ferdinand VII décède le 20 septembre 1833. Sa fille Isabelle lui succède, mais elle n'a que trois ans. Elle est soutenue par le parti libéral, qui souhaite davantage de libertés politiques et économiques. Son oncle, don Carlos, frère du roi défunt, refuse qu'elle soit reine. Il réunit ses partisans et tente un coup de force pour la renverser et prendre le pouvoir. C'est le début d'une guerre civile qui est aussi politique que sociale. La France hésite à intervenir, mais s'y résout finalement, avec l'accord de l'Angleterre. Il faut néanmoins éviter qu'Isabelle II épouse un homme d'une famille opposée à la France et qu'un monarque hostile s'installe au sud des Pyrénées. Son abdication en 1868 et les troubles quant à sa succession sont une des causes de la guerre de la France contre la Prusse en 1870. En attendant, Louis-Philippe parvient à soutenir Isabelle II et à affaiblir les carlistes, qui finissent marginalisés et éliminés de la vie politique.

Au Portugal aussi la situation est des plus complexes. Paris doit trancher entre dom Pedro et son frère, dom Miguel, qui lui a usurpé la Couronne. Là aussi, France et Angleterre font cause commune en faveur de dom Pedro, libéral et attaché aux libertés politiques et économiques. Ils fondent la Quadruple Alliance de 1834 et mènent une intervention militaire à Lisbonne pour renverser dom Miguel et assurer le trône de dom Pedro.

Belgique, Pologne, Espagne, Portugal, Italie, le couple franco-anglais assure la victoire des libéraux en Europe.

« L'ordre à l'intérieur, la paix à l'extérieur »

Il s'agit de défendre les monarchies constitutionnelles, les droits du Parlement et le respect du peuple. Face aux volontés absolutistes et réactionnaires de certains gouvernements, Paris et Londres savent intervenir à propos ou bien défendre la non-ingérence quand cela est nécessaire. Par petites touches, ce couple essentiel des relations internationales bâtit une Europe nouvelle, qui arrive à conjuguer les forces de la tradition monarchique aux nouveautés politiques de la Révolution française. Un juste milieu entre *pasionaria* de la Révolution et réactionnaires attitrés de celle-ci. S'il peut y avoir des orages, voire des tempêtes, dans ce nouveau couple formé au lendemain de 1830, c'est lui qui domine l'Europe et qui impose sa volonté. Sur la question d'Orient en revanche, les deux protagonistes se divisent.

LA QUESTION D'ORIENT : ENTRE FEU ET SABLE

Sur l'Orient, Londres et Paris sont atteints de strabisme. Leurs intérêts divergent, tout autant que leur politique. Quand Londres regarde vers les Indes, Paris voit d'abord la Méditerranée. Quand Londres veut préserver l'Empire ottoman, Paris doit gérer l'héritage algérien et la question d'Égypte. Déjà l'Orient est compliqué et les réponses à y apporter sont loin d'être simples.

111

À Alger, les troubles ne cessent de persister. Louis-Philippe hérite de l'expédition militaire menée par Charles X. Mais que faire de cette ville et de ses environs ? Faut-il conquérir davantage de territoires et les mettre en valeur comme le demandent certains, notamment les militaires ? La conquête coloniale de l'Orient est aussi un dérivatif au romantisme bonapartiste. Puisque la France ne peut pas mener de guerre en Europe, elle envoie ses militaires en Afrique du Nord pour y trouver la gloire que recherchent les mouvements nostalgiques des batailles impériales. C'est à la fois pour intégrer les étrangers dans l'armée française et pour disposer d'un corps militaire en Afrique que Louis-Philippe crée la Légion étrangère, par un décret publié en 1831, à l'instigation du maréchal Soult, son ministre de la Guerre.

Louis-Philippe envoie son fils, le duc d'Orléans, pour combattre Abd el-Kader et mettre un terme à ses raids. La prise de Mascara (1835) puis de Sétif (1839) aboutit à la conquête du désert du Sahara et à la mainmise sur l'Algérie, qui n'était pas prévue. Là débute le tissage d'un nœud gordien dont le dénouement s'est joué cent trente ans plus tard. La guerre algérienne se déplace au Maroc où s'est réfugié Abd el-Kader. Celui-ci exhorte le royaume chérifien à se soulever contre la France pour éviter le contrôle de l'Algérie. Paris attaque donc le Maroc en 1844. Tanger est bombardée, puis Mogador.

La guerre se termine par la bataille d'Isly, où les troupes de Bugeaud brisent l'alliance chérifo-algérienne. Après le contrôle de la régence d'Alger, la France établit un protectorat sur le Maroc. La voilà certes parée au sud de la Méditerranée, mais il faut dorénavant tenir ce vaste espace. Le gouvernement commence à y envoyer des Français en leur donnant des terres et à y placer des garnisons. Alexis de Tocqueville visite l'Algérie à deux reprises et il rédige plusieurs lettres et rapports sur le sujet. Il est l'un des rares à avoir compris le drame qui se jouait alors et à en avoir perçu les conséquences sur le long terme. La conquête ne peut aboutir qu'à la colonisation, dit-il. La population française est un kyste au milieu de la population arabe et les différences de culture et de civilisation empêchent une fusion des deux peuples. À terme, il ne peut y avoir qu'une opposition et une déchirure algérienne. Ici se dessine le drame qui s'est dénoué en 1962, drame qu'avait compris le général de Gaulle en portant l'indépendance de l'Algérie dès son retour aux affaires : aucun peuple n'acceptera jamais d'être dominé par un autre peuple. Louis-Philippe puis Napoléon III ont tenté de créer un royaume arabe allié de la France, en vain.

En Égypte, les problèmes sont autres. Thiers y soutient les prétentions de Mehmet Ali à constituer un royaume arabe qui unirait l'Égypte et la Syrie (ce que fit ensuite Nasser). Ce qui va à l'encontre de la souveraineté des Ottomans et des prétentions anglaises. Londres veut empêcher que la Russie ne contrôle les détroits et que l'Égypte soit trop puissante et bloque la route des Indes. Sur ce dossier, Londres et Paris sont donc opposés. L'Angleterre conclut un traité avec Constantinople, la Prusse et la Russie qui expulse Mehmet Ali de la Syrie. La France n'est pas informée de ces tractations. Le 2 octobre 1840, la flotte britannique bombarde Beyrouth et chasse Ibrahim Pacha, fils de Mehmet Ali, de la Syrie. Thiers est désavoué, ce qui réjouit Louis-Philippe qui cherche à se débarrasser de lui. Mais à Paris, la foule est prête à prendre les armes contre Londres. Le roi est contraint de commencer la mobilisation et de fortifier la capitale. Finalement, un accord est trouvé : le sultan reste en Égypte, mais le royaume arabe ne verra pas le jour. L'ordre extérieur est rétabli, le roi chasse Thiers et le remplace par un ministre davantage dans ses vues. Tout drame extérieur a des répercussions immédiates dans la vie politique intérieure française. C'est la passion nationaliste qui a d'ailleurs contribué au renversement de Louis-Philippe, ajoutée aux problèmes économiques liés aux mauvaises récoltes de 1846. C'est déjà la question d'Orient et la rivalité franco-britannique, qui trouvent leur conclusion dans l'expédition de Suez en 1954.

LES LIBÉRAUX CONTRE LES COLONIES

Enfin, la politique extérieure de la France est marquée par le débat sur la colonisation. La première colonisation, celle qui fut conduite aux Antilles et aux Amériques sous Louis XIV et Louis XV, s'est soldée par un échec. Les libéraux sont opposés à ce que la France crée de nouvelles colonies. Guizot, tour à tour chef du gouvernement et ministre des Affaires étrangères, défend la politique des points d'appui : contrôler quelques ports sur les côtes, tenir des comptoirs pour faciliter le commerce et les interventions militaires, mais ne surtout pas faire de colonies ni chercher à conquérir de territoires en Afrique ou en Asie. Le réalisme est alors de mise dans la diplomatie et la géopolitique. Frédéric Bastiat a des mots très durs contre la colonisation voulue par certains : « Il m'est démontré, et j'ose dire scientifiquement démontré, que le système colonial est la plus funeste des illusions qui aient jamais égaré les peuples. » Et plus loin : « Creuser des ports en Barbarie quand la Garonne s'ensable tous les jours ! M'enlever mes enfants que j'aime pour aller tourmenter les Kabyles ! Me faire payer les maisons, les semences et les chevaux qu'on livre aux Grecs et aux Maltais, quand il y a tant de pauvres autour de nous ! » Les libéraux, de Guizot à Tocqueville, sont unanimement contre la

115

colonisation. Celle-ci n'aura pas lieu. Il faut attendre les années 1880, avec d'autres hommes et d'autres idées, pour que l'idéologie coloniale s'affirme et s'impose et que la France se pare du droit de civiliser les peuples non développés.

La plume et le pinceau : la *Comédie humaine*

Toute la monarchie de Juillet tient dans la *Comédie humaine* de Balzac. Il l'a écrite entre 1829 et 1850. En quatre-vingt-dix ouvrages et plus de six cents personnages, il brosse l'esprit et la pratique d'une époque en pleine mutation. Scènes de la vie parisienne, de la vie de province et de la vie rurale, misère des courtisans, ambition des orgueilleux, réussite des manipulateurs ; la *Comédie humaine* dresse le tableau d'une société en pleine évolution, qui connaît le progrès technique et l'importance de plus en plus grande de l'argent et des mouvements financiers. Balzac est un ogre de lettres et de papier. Il observe, il scrute et il dépeint avec une grande acuité les hommes de son temps qui sont devenus des types intemporels. C'est Lucien de Rubempré, le poète provincial plein d'espoir qui échoue à se faire une place à Paris et dont la vie se termine par un suicide après de nombreuses mésaventures (*Illusions perdues*). Héros et antihéros à la fois, Lucien de Rubempré marque l'échec de cette petite noblesse de province qui tente de monter à Paris pour retrouver une gloire perdue. Eugène de Rastignac est au contraire celui qui a réussi. Lui aussi vient d'Angoulême. Le personnage aurait été inspiré par Thiers, qui est lui originaire de Marseille. On le croise dans de nombreux romans de Balzac, dont *Le Père Goriot*, parfois en rival de Lucien de Rubempré, parfois en allié de Vautrin, le brigand multiforme. Rastignac est le type même du jeune loup aux dents longues prêt à tout pour réussir dans le monde. Le colonel Chabert rappelle la légende napoléonienne et la présence toujours vivace de la mémoire de l'Empire. Le retour des cendres de l'Empereur, en 1840, avec la translation aux Invalides, avait voulu marquer l'unité et la réconciliation des Français. Le nouveau régime espérait ainsi montrer une synthèse de tous les régimes qui l'avaient précédé et dévoiler de cette façon un visage pacifié de la France. La mission a été presque réussie, sauf que cette cérémonie a aussi ravivé le souvenir de l'Empereur et les ambitions toujours vives de l'un de ses neveux, Louis-Napoléon Bonaparte, qui en dépit de coups d'État soldés par des échecs espère toujours prendre le pouvoir. Ce sera chose faite en 1849 par l'élection présidentielle puis en 1851 par le coup de force du 2 décembre. La société française est en reconstruction et elle se cherche encore. On le voit notamment dans *Eugénie Grandet*, dont l'action se déroule à Saumur. Le père d'Eugénie, Félix Grandet, est le type même de l'avare, prêt à tout pour bien placer son or et le faire fructifier quitte à en faire souffrir sa fille et son épouse. Il représente cette nouvelle classe sociale née de la Révolution, enrichie par l'achat des biens de l'Église et qui a su profiter de chaque régime pour se hisser dans la hiérarchie sociale. Avec Félix Grandet ou le père Goriot on suit cette classe du petit peuple qui s'élève par le travail, l'épargne et les mariages et qui œuvre pour que ses enfants puissent s'élever encore au-dessus d'eux. Les filles de Goriot deviennent baronne et comtesse ; la mission est accomplie. La petite bourgeoisie rêve de noblesse, ce qui permet à cette dernière de se maintenir et de se mêler à cette force sociale en pleine ascension. Balzac peint la société de la monarchie de Juillet mais il peint aussi l'homme en général, ce qui assure le plein succès de ses romans. Il inspire notamment Marcel Proust qui a écrit une autre fresque à une autre époque, *À la recherche du temps perdu*, où c'est cette fois la France au tournant de deux siècles qui se transforme et se modifie. Les écrivains savent comprendre leur époque et la retranscrire en donnant à leurs œuvres le degré d'éternité nécessaire permettant d'en faire des œuvres intemporelles qui parlent à tous les hommes.

PEINDRE L'ÉVÉNEMENT

En peinture, c'est Eugène Delacroix qui ouvre la monarchie de Juillet. Il s'est fait connaître dès l'époque de la Restauration et continue de peindre après 1848, mais son tableau, *La Liberté guidant le peuple*, se veut l'expression du génie révolutionnaire français. Il magnifie les journées de Juillet qui voient le passage d'un régime à un autre. La femme au drapeau tricolore personnifie la France, représentant tout à la fois Marianne et la fougue d'un pays toujours prêt à en découdre contre ses dirigeants. Sur la barricade, on reconnaît un garçon au béret et aux pistolets. C'est le type du Gavroche, gamin des rues de Paris, intrépide et prêt à s'élancer contre la troupe. Toutes les couches sociales sont représentées : l'ouvrier en casquette comme le bourgeois en haut-de-forme. C'est toute la France qui lutte contre l'oppression et pour la liberté avec le drapeau tricolore qui unit le peuple. Avec ce tableau, le drapeau bleu-blanc-rouge entre dans la conscience collective et il devenait impossible de revenir au drapeau blanc comme a tenté de le faire le comte de Chambord lors d'une restauration avortée. Le tableau de Delacroix, peint en 1831, acheté par Louis-Philippe, sait à la fois fixer un événement et symboliser l'esprit d'un pays qui se pense toujours sur les barricades et qui est prêt à prendre les armes pour défendre sa liberté. C'est l'esprit de la Révolution et le souffle du peuple en marche, que l'on retrouve en 1848, lors de la bataille de la Marne, dans l'engagement des résistants ou dans l'unité face aux attentats. Cet esprit français, Delacroix l'a transmuté sur sa toile.

LE DÉVOREUR DES LETTRES

Alexandre Dumas a fait entrer l'histoire de France dans la conscience de chaque enfant. Comme Balzac, il dévore l'encre et le papier. Et pas seulement, lui qui aime la bonne chère et qui a rédigé un dictionnaire de cuisine. Lui aussi crée une fresque, mais la sienne s'appuie sur l'histoire de France pour la conter aux enfants et à leurs parents. Ce sont *Les Trois Mousquetaires*, *Le Comte de Monte-Cristo* ou *La Reine Margot*. Le XIXᵉ siècle se prend de passion pour l'histoire. Michelet publie son *Histoire de France*, Guizot et Thiers se livrent à des œuvres savantes, Tocqueville écrit une histoire de la Révolution française. Alexandre Dumas aborde l'histoire de France, mais par le roman. Si ce n'est pas toujours fidèle à la réalité, cela lui ouvre davantage les portes de la postérité.

EGO HUGO

Victor Hugo a traversé toutes les époques de ce XIXe siècle tumultueux. Il fut monarchiste sous la monarchie, impérialiste sous l'Empire et républicain avec la République. Né en 1802, il a vingt-huit ans quand arrive le nouveau régime. Chef de file de l'école romantique, il s'illustre le 25 février 1830 lorsqu'est jouée la première d'*Hernani*. La bataille qui s'ensuit et les affrontements lors de la représentation ont des causes tout aussi politiques que littéraires. Hugo veut revoir la façon d'écrire les pièces. Il déstructure l'alexandrin classique et bouleverse les conventions du théâtre héritées de Corneille et de Racine. Le drame romantique associe des parties dramatiques et des parties plus joyeuses, il rompt avec le schéma de l'unité de temps et de lieu. Mais dans cette pièce, Hugo affirme aussi ses idées libérales et républicaines. Alors que la première génération de romantiques était monarchiste et avait notamment accompagné Louis XVIII en exil à Gand, la nouvelle génération manifeste un sentiment plus républicain. Comment alors laisser ces auteurs s'exprimer dans les théâtres ? Une pièce peut ainsi mettre le feu et provoquer une révolution. Imagine-t-on aujourd'hui des pièces de théâtre avoir une telle dimension politique ? Même les opéras s'en mêlent. Quand Verdi fait jouer son *Nabucco* à la Scala de Milan en 1842, tout le monde comprend que les esclaves juifs de Babylone évoquent les Italiens du Nord sous domination autrichienne. Quand le chœur entonne le « *Va, pensiero* », ce sont tous les libéraux italiens qui exultent, eux qui se battent depuis plusieurs années pour l'indépendance de leur pays et pour l'unité italienne. Cet opéra organise la cristallisation d'une révolution. Le vieux monde est en train de craquer : les romans, les pièces et les opéras lui lancent des coups de boutoir qui partout font exploser la soif de liberté et achèvent les absolutismes. La France accentue son rôle de pays où les lettres jouent un rôle majeur et se mêlent de politique. Mais avec la France, c'est toute l'Europe qui s'embrase à la moindre publication. Une pièce, un tableau, un poème et c'est la révolution qui recommence. Derrière l'histoire ou l'usage de l'histoire, on reconnaît toujours une satire sociale et une dénonciation. *Notre-Dame de Paris* (1831) remet au goût du jour le Paris du Moyen Âge et au centre du roman la cathédrale qui a subi les affres des destructions révolutionnaires. Les Français redécouvrent leur patrimoine et la nécessité de le restaurer.

REBÂTIR LA FRANCE

Cette restauration architecturale est l'œuvre essentielle de Prosper Mérimée et d'Eugène Viollet-le-Duc. Confortés par Louis-Philippe, ils font le tour de France pour remettre sur pied des édifices remarquables abîmés par les longues périodes de guerre et d'inoccupation. Viollet-le-Duc restaure notamment le Mont-Saint-Michel et la basilique de Vézelay et Mérimée redresse châteaux, monastères et églises. Certes l'imagination se greffe à la restauration et parfois la dépasse, mais on comprend que pour avancer dans le futur il faut maintenir les liens avec le passé. Cette France qui se projette dans la modernité n'oublie pas son histoire et ses racines ; elle s'édifie par les lettres, la pierre et la pensée.

Entre les pianos et les livres :
la vie culturelle sous Juillet

En 1830, le fabricant de pianos Camille Pleyel fonde sa première salle de concerts à Paris. La même année arrive dans la capitale française le pianiste Frédéric Chopin, que Pleyel connaît bien pour lui avoir déjà vendu des pianos. Chopin s'est réfugié en France, le pays de son père, après la prise de Varsovie par les Russes. Le nouveau régime politique naît au moment où la musique prend une tournure nouvelle, entre autres avec le développement et le triomphe du piano. Jamais peut-être époque n'a concentré autant de talents et surtout un tel goût pour la musique. Opéras, symphonies, musique religieuse ou musique de chambre, cet art se mêle aussi à la politique, à l'expression des peuples, aux attentes des contemporains. Paris devient la capitale mondiale des notes et des mélodies : tous les plus grands compositeurs et auteurs sont passés par cette ville, y ont séjourné et s'y sont rencontrés.

Depuis l'Antiquité, la musique fait partie des arts libéraux, mais la vague nouvelle qui débute dès les années 1820 pour atteindre son apogée dans les années 1840 est aussi au service de la liberté et de l'aspiration des hommes à mieux vivre. La musique semble occuper l'une des premières places dans la vie des peuples, une place qu'elle n'a plus aujourd'hui.

LES VALSES BLEUES DE FRÉDÉRIC CHOPIN

Cet homme frêle et fragile apporte à Paris les harmonies et les airs de sa Pologne. Il se fait le porte-parole d'un peuple opprimé qui se rattache à la culture et à la musique pour continuer à exister et pour transmettre son histoire. Il révolutionne le toucher du piano, donnant aux touches une sonorité nouvelle. C'est la note bleue décrite par George Sand, « l'azur de la nuit transparente ». On a tôt fait de qualifier cela de musique romantique, comme pour donner une unité artificielle à une époque. L'unité de cette musique, ce sont les voyages et les rencontres à travers les capitales d'Europe tout en y associant des particularités nationales. La force de Chopin, c'est de parler à l'universel du cœur de chaque homme en s'inspirant du particulier de sa culture polonaise. Ses préludes, ses mazurkas et ses valses sont nourris de la steppe polonaise et de la Volga et vivifiés par les rencontres internationales à Paris. Chopin développe aussi de nouvelles façons de jouer du piano. Il étend les compositions harmoniques, notamment grâce aux arpèges, et il donne au jeu une dimension plus dynamique.

FRANZ LISZT, LA HONGRIE À PARIS

Liszt est l'un des grands amis de Chopin. Lui aussi modifie la façon de jouer du piano, tout en reconnaissant qu'il doit beaucoup au Polonais. Il vit à Paris de 1827 à 1834 où il partage les salons et les appartements de la bohème romantique de l'époque. L'amitié des deux compositeurs les porte à une admiration réciproque, chacun jouant les œuvres de l'autre. Après la mort de Chopin, Liszt a contribué à diffuser son œuvre et à la faire connaître à la nouvelle génération. Ce fut une réconciliation posthume, après leur brouille survenue pour des raisons tout autant de jalousie professionnelle que de rivalités féminines. L'autre grande rencontre de Liszt à Paris, c'est Niccolò Paganini. Lorsque le violoniste génois arrive dans la capitale française en février 1831, sa renommée est déjà immense. Lui aussi a révolutionné la façon de jouer de son instrument, de toucher les cordes du violon, de faire rendre les harmonies et les sons. Paganini a également écrit des airs pour guitare, faisant entrer cet instrument dans le répertoire classique. Lorsque Liszt écoute le virtuose italien en concert en 1832, il en est bouleversé. Sa conception de la musique est transformée. Il est désormais convaincu qu'au piano c'est le moi qui doit s'exprimer, l'âme du compositeur tout autant que du pianiste. Un moi qui surgit de son âme et qui se donne aux autres, c'est là l'essence du romantisme.

FRÉDÉRIC KALKBRENNER

Il est peu connu aujourd'hui, dépassé par les autres virtuoses de son époque. Il joua pourtant un rôle essentiel dans la carrière de Chopin. Né en Prusse en 1785, il est arrivé à Paris en 1826 où il obtient la citoyenneté française. C'est lui qui découvre Chopin à son arrivée en France et il lui donne quelques cours de piano. L'admiration de Chopin pour Kalkbrenner est immense, il le considère comme l'un des plus grands pianistes de son époque. En tant qu'associé de Camille Pleyel pour la fabrication des pianos, il permet à Chopin de s'approvisionner et de jouer dans leur salle de concerts.

À côté d'eux il y a Hector Berlioz, l'un des compositeurs qui a le plus marqué son époque. Musique symphonique et religieuse, concerts monumentaux, festivals, Berlioz a lui aussi modifié en profondeur la façon d'appréhender la musique et la place accordée à celle-ci dans la société. Son *Grand Traité d'instrumentation et d'orchestration modernes* (1844) a influencé tous ses contemporains et les générations suivantes de musiciens. Traduite et publiée dans presque tous les pays européens, cette œuvre théorique témoigne de l'importance de Berlioz et de l'influence de l'art français en Europe. Avec les grandes villes de l'Empire autrichien et les capitales italiennes, Paris est l'autre grande ville de la musique, celle où se rencontrent les virtuoses, où s'infléchissent les modes, où se font les réputations. Berlioz part en tournée dans toute l'Europe : Allemagne, Russie, Europe centrale. Il contribue lui aussi à forger les mouvements nationaux musicaux qui sont la caractéristique de cette époque. Les compositeurs hongrois, tchèques et russes des années 1880-1900 ont reconnu leur dette à l'égard d'Hector Berlioz, alors même que celui-ci était quelque peu dénigré en France. Libéralisme et musique vont de pair. D'une part parce que, comme tous les arts, la musique libère l'homme et l'élève vers les sommets de son existence, d'autre part parce que les mouvements nationaux d'émancipation des peuples prennent la musique comme étendard de leur combat. C'est ensuite Verdi qui défend l'unité italienne à travers ses opéras et Wagner celle de l'Allemagne dans ses œuvres. Ce sont Bartók, Dvorak ou Prokofiev qui défendent l'âme et la culture de leur pays par la portée universelle de leur musique. Il est difficile de prendre aujourd'hui la pleine mesure du rôle social, politique et culturel tenu par ces compositeurs et ces musiciens tant il est vrai que la musique dite classique est aujourd'hui cantonnée aux marges sociologiques de nos sociétés alors qu'elle en était le centre.

L'OPÉRA PARISIEN

Pour l'opéra aussi Paris a su capter les plus talentueux compositeurs de son temps. Admirateur de la France, c'est à Paris que vient s'installer en 1825 Gioachino Rossini déjà auréolé du succès de ses grandes œuvres : *Le Barbier de Séville, Sigismond, Tancrède.* Étant lié à Charles X, la chute de celui-ci ralentit sa carrière et il cesse dès lors d'écrire des opéras, préférant les plaisirs de la table et l'écriture de chroniques gastronomiques qui ont donné naissance au tournedos Rossini. Mais sa présence à Paris inspire d'autres compositeurs. Daniel Auber est déjà un artiste installé quand arrive la monarchie de Juillet et ses opéras sont joués régulièrement dans la capitale. À presque quarante ans, sa carrière prend un nouveau tournant grâce à sa rencontre avec Eugène Scribe. Au premier la musique, au second les paroles. Grâce aux livrets de Scribe, l'œuvre d'Auber connaît un nouveau succès. Il devient l'un des artistes les plus joués en France et en Europe, où ses opéras sont repris sur les plus grandes scènes. Un de leurs opéras les plus populaires est *La Muette de Portici*, créée en 1828. L'histoire se passe à Naples au XVIIe siècle, quand la ville est dominée par les Espagnols. Mais tous ceux qui assistent à l'opéra comprennent que c'est bien la situation actuelle des peuples dominés que décrivent Scribe et Auber. À la suite de sa représentation à Bruxelles en août 1830, la foule se masse devant l'Opéra, s'échauffe et se lance dans la rébellion contre les Hollandais, qui finissent par interdire l'opéra. C'est ce jour-là qui est ensuite retenu comme le premier moment du soulèvement belge pour l'indépendance. Très populaire jusque dans les années 1850, portant les valeurs des peuples et des libéraux, cet opéra est aujourd'hui tombé dans l'oubli, hormis le chant « Amour sacré de la patrie », dont les paroles ont été maintes fois reprises sur les barricades du XIXe siècle :

> *Mieux vaut mourir que rester misérable !*
> *Pour un esclave est-il quelque danger ?*
> *Tombe le joug qui nous accable*
> *Et sous nos coups périsse l'étranger !*
> *Amour sacré de la patrie,*
> *Rends-nous l'audace et la fierté ;*
> *À mon pays je dois la vie ;*
> *Il me devra sa liberté.*

À Auber on doit aussi l'orchestration de *La Parisienne*, une chanson composée par Casimir Delavigne au lendemain des Trois Glorieuses. La chanson est si populaire qu'elle devient l'hymne officiel de la monarchie de Juillet, disparaissant ensuite à la chute du régime.

> *Peuple Français, peuple de braves,*
> *La Liberté rouvre ses bras ;*

On nous disait : soyez esclaves !
Nous avons dit : soyons soldats !
Soudain Paris, dans sa mémoire
A retrouvé son cri de gloire :
En avant, marchons
Contre les canons ;
À travers le fer, le feu des bataillons
Courons à la victoire. (bis)

Quant à Scribe, il s'associe également à Fromental Halévy. À eux deux ils réalisent le plus grand succès d'Halévy, *La Juive*, interprétée pour la première fois en 1835 à l'opéra de la rue Le Peletier. Considérée comme typique de l'opéra à la française, *La Juive* n'a cessé d'être représentée en France et en Europe. C'est cet opéra qui a l'honneur d'ouvrir le premier concert joué à Garnier en 1875. Son air le plus célèbre est « Rachel, quand du Seigneur » encore interprété par les plus grands ténors. On le retrouve chez Marcel Proust, qui surnomme ainsi l'amante de Robert de Saint-Loup, une prostituée nommée Rachel qu'il a rencontrée pour la première fois dans une maison de passe et qu'il ne cesse ensuite de croiser, jusqu'au salon des Guermantes. Cette passion de la musique et de l'opéra accompagne toute la société parisienne des plus aisés jusqu'aux couches populaires qui se retrouvent dans les théâtres des boulevards et les bars des faubourgs. La chute de Louis-Philippe n'interrompt pas ces airs qui se prolongent sous le Second Empire avec l'opéra-comique, l'opéra-bouffe et d'autres compositeurs de talent. Ils sont une part essentielle de la culture que croisent également les peintres, les sculpteurs et les écrivains. Car à Paris en juillet, les pianos rencontrent les livres.

LA MAISON D'ÉDITION CALMANN-LÉVY

Il ne suffit pas à un pays d'avoir de grands écrivains, encore lui faut-il aussi de grands éditeurs pour les porter. Honoré de Balzac a le sien : Calmann-Lévy, maison fondée en 1836 par trois frères, Michel, Nathan et Kalmus, dit Calmann. La maison porte d'abord le nom de Michel Lévy frères. C'est à la mort de Michel, en 1875, qu'elle est rebaptisée Calmann-Lévy, son nom actuel. Si on y trouve Balzac au catalogue, Adolphe Thiers figure aussi parmi ses auteurs, tout comme Louis-Philippe qui y publie ses mémoires après son exil. Les auteurs libéraux sont donc présents dès la naissance de la maison et marquent l'esprit de celle-ci. Dans les années 1950, alors que la maison périclite, c'est un autre auteur libéral, Raymond Aron, qui contribue à la relancer, notamment en créant la collection « Liberté de l'esprit » dans laquelle il publia son fameux *Opium des intellectuels*. Calmann-Lévy a modernisé l'édition et créé des codes et des pratiques encore en vigueur aujourd'hui. Collections de littérature populaire et de livres de poche, parution des romans en feuilleton dans les journaux, dont les romans d'Alexandre Dumas comme *Les Trois Mousquetaires* et *Le Comte de Monte-Cristo* qui paraissent sous la monarchie de Juillet.

L'autre grand éditeur de cette période est Louis Hachette, dont la maison fut fondée en 1826. Elle connut son essor sous Louis-Philippe grâce aux livres d'éducation et pour l'université. En 1832, le ministère de l'Instruction publique lui commande la publication de plusieurs ouvrages. Le ministre de l'époque est François Guizot, qui fut le professeur de Louis Hachette. Les deux hommes se connaissent donc bien. En 1836, le même Guizot lui donne le titre de « libraire de l'Université ». À partir de cette date, la maison Hachette lie son avenir à celui du monde scolaire et éducatif en fournissant les écoles en manuels et en livres de travail. Mais Louis Hachette sait aller au-delà de ce secteur. Lui aussi développe la littérature populaire et surtout il crée un réseau de kiosques à livres dans les gares, les Relais Hachette, toujours présents aujourd'hui sous le nom de Relay. Calmann-Lévy ayant été racheté par le groupe Hachette en 1993, les deux grandes maisons de la monarchie de Juillet sont aujourd'hui liées et poursuivent ensemble leur destinée.

Économie et entreprises : l'essor français

La ligne A du RER est aujourd'hui la ligne de train la plus fréquentée au monde avec en moyenne un million de passagers par jour. Elle emprunte une partie de la première ligne de chemin de fer pour passagers, la ligne de Paris à Saint-Germain-en-Laye. C'est en 1835 que fut fondée par James de Rothschild et les frères Pereire la Compagnie du chemin de fer de Paris à Saint-Germain. Partant de l'actuelle gare Saint-Lazare et s'arrêtant au bas des coteaux de Saint-Germain, elle permettait aux Parisiens de rejoindre la campagne et la forêt en quelques minutes. Elle marque l'entrée dans une nouvelle époque, celle de la révolution des transports, qui permet de relier les provinces françaises à Paris, de les spécialiser et de structurer l'organisation du territoire. Au début du chemin de fer, les oppositions sont vives. On craint que les corps n'explosent sous l'effet de la vitesse, on fustige ces nouvelles machines qui détruisent des emplois et bouleversent les paysages.

La modernité suscite toujours l'espoir et l'incompréhension. L'expansion économique n'est pas encore celle
du Second Empire, mais on y fonde les bases. Dans sa
Comédie humaine, Balzac a bien perçu les évolutions
économiques et sociales de ces vingt années décisives.
Ce sont l'apparition et l'essor de la finance, la mécanisation des campagnes, la modernisation de l'industrie,
la spécialisation des régions. Bien évidemment, cette
modernité nous paraît primaire maintenant que près de
deux siècles se sont écoulés, mais la plupart des piliers
de notre système économique ont été bâtis au moment
de la monarchie de Juillet. C'est là aussi que la pensée
économique se structure et se densifie. L'école française d'économie reprend les thèses de ses prédécesseurs,
notamment Turgot, Vauban ou Boisguilbert, pour les
approfondir et les développer. Tocqueville, Bastiat,
Gilbert Guillaumin, Gustave de Molinari participent
à une réflexion économique fondée sur le réel, sur
l'étude des cas et sur la compréhension des phénomènes
humains. Cette vision libérale de l'économie contre-
carre les idéologies socialistes qui sont en train de naître.
Hélas tombés dans l'oubli, ces auteurs ne méritent que
d'être redécouverts.

LA CAISSE GÉNÉRALE DU COMMERCE ET DE L'INDUSTRIE

C'est l'une des premières banques d'affaires et l'entreprise la plus emblématique de cette période. Fondée en 1836 par Jacques Laffitte, elle ne survécut pas aux difficultés de 1848, mais elle montra la voie à de nombreux entrepreneurs qui prirent modèle sur elle pour ouvrir les grandes banques du Second Empire. Grâce à cette caisse purent être financés les projets de chemin de fer et la rénovation des villes, les constructions de canaux et la modernisation des routes. Toutefois, caractéristique durable de la France, beaucoup de patrons français se passent des prêteurs d'argent grâce à une gestion maîtrisée de leur budget, en réutilisant les bénéfices de l'entreprise pour de nouveaux investissements. La culture anglo-saxonne de la vie à crédit et de l'endettement à tout prix ne s'est pas encore imposée dans les esprits, y compris chez les entrepreneurs. Pour les plus grosses affaires commerciales et industrielles, qui nécessitent des investissements élevés ou faits à long terme, c'est la haute banque lyonnaise et surtout parisienne qui joue les premiers rôles. À côté des anciennes maisons comme Mallet, Delessert ou Perregaux, antérieures à 1789, on en trouve de plus récentes comme Seillière, Fould, Perier, Laffitte, à quoi s'ajoutent des succursales de banques genevoises, allemandes ou londoniennes. James de Rothschild, installé à Paris depuis 1814, fait figure de maître incontestable de la haute banque française : prêteur principal du roi Louis-Philippe et de l'État français, il est un acteur bancaire de premier ordre pour financer les investissements les plus lourds, comme les chemins de fer.

LA MODERNISATION ÉCONOMIQUE

La modernisation économique se situe dans la droite ligne des transformations de la Restauration. Bien souvent, l'économie se rit des régimes politiques et évolue indépendamment d'eux, sauf si ceux-ci prennent des mesures ouvertement antiéconomiques. On a critiqué les hommes d'affaires qui n'auraient pas de souci politique, mais c'est que l'économie joue sur un temps plus long que le temps politique et que les investissements ne se mesurent pas au même rythme que les changements de gouvernement. Voilà du reste ce qui exaspère les gouvernants : légitimisme, orléanisme, république, ces philosophies politiques ont peu d'impact sur le développement économique, du moment que le minimum de liberté est assuré. Le politique, à l'égard de l'économie, a un pouvoir de nuisance, mais pas de bienfaisance. En revanche, les transformations économiques ont des incidences sur les évolutions politiques. Le changement de régime en 1830 n'est d'ailleurs pas sans rapport avec le dynamisme économique accru de la Restauration : la révolution politique a été facilitée par la pression de nouveaux intérêts économiques, insuffisamment pris en compte par les gouvernements de Charles X. De même, les pénuries alimentaires, conséquence des mauvaises récoltes et le chômage des années 1846-1847, sont à l'origine de la révolution de 1848.

La mécanisation est le fer de lance de cette modernisation. Dans la droite ligne des philosophes de l'*Encyclopédie*, les libéraux sont convaincus que le machinisme assure le progrès économique et social. Cela touche notamment les nouvelles formes d'énergie. Le progrès industriel est insufflé par l'essor de la production charbonnière. Certes, le charbon de bois continue à servir dans de nombreuses industries, y compris dans des secteurs modernes comme la fonte, mais la houille permet de fournir en quantité un combustible de bien meilleure qualité. L'exploitation de la houille voit l'apparition de nouveaux foyers industriels. Le Nord, la Loire, la Bourgogne deviennent des centres sidérurgiques, avec Le Creusot, Imphy et Fourchambault. Des villes nouvelles se construisent, ce qui n'empêche pas la métallurgie traditionnelle des forges au charbon de bois de demeurer encore pour quelques décennies. Le textile aussi se transforme. Le travail à façon est en train de disparaître pour laisser place à de grandes usines et de vastes centres de production. La mécanisation modifie l'organisation ouvrière (les canuts) et de nouveaux centres voient le jour, comme Lille et Reims. Le lin et le coton sont les deux fibres textiles largement utilisées.

Autre développement industriel, la photographie. Découverte en 1826 par Nicéphore Niépce et perfectionnée par son collaborateur Jacques Daguerre, elle aboutit en 1838 au fameux daguerréotype. Elle bouleverse le métier de peintre en détruisant de nombreux emplois de portraitistes qui se reconvertissent alors dans la photographie de portraits.

L'INTERVENTION DE L'ÉTAT, ENTRE PROTECTION ET LIBRE-ÉCHANGE

Le régime orléaniste a beaucoup fait pour libérer l'économie de ses pesanteurs. En redéfinissant le sens de la faillite, il a évité que celle-ci soit une infamie et le synonyme d'une mort sociale, ce qui a incité les entrepreneurs à créer des entreprises. Le débat sur le libre-échange est particulièrement vif. Les maîtres de forges sont très présents au Parlement pour faire voter des lois en leur faveur et ainsi profiter d'un capitalisme de connivence. Mais de plus en plus de voix s'élèvent contre le protectionnisme, accusé de nuire au consommateur et de faire végéter l'économie nationale. Adolphe Blanqui défend la liberté du commerce, tout comme Frédéric Bastiat, Victor de Broglie, Hippolyte Passy et Guizot. En 1842, ce dernier tente de créer une union douanière franco-belge pour faciliter le commerce entre les deux pays (notamment celui de la houille) qui se heurte aux intérêts des maîtres de forges français et aux pays étrangers. Le libre-échange n'est pas bien vu, donc on l'accuse de nombreux maux. Ces projets aboutissent sous Napoléon III avec la signature d'un traité de libre-échange franco-anglais, avant que la IIIe République ne revienne au protectionnisme (tarifs Méline), notamment pour donner des gages à son électorat. Les grands patrons ne sont pas forcément les plus portés vers le libéralisme et le libre-échange.

UN BILAN EN DEMI-TEINTE

Le protectionnisme demeure dans les faits et dans l'esprit de beaucoup. La mécanisation de l'industrie et de l'agriculture a encore beaucoup de chemin à faire. Les entreprises manquent de capitalisation. Mais la voie est ouverte et une brèche libérale s'est créée. Sous l'effet des théoriciens de la liberté économique et d'une nouvelle génération de chefs d'entreprise, la France découvre les vertus de la liberté qui ne seront pleinement à l'œuvre que sous le Second Empire. En 1848, la France compte moins de 2 000 kilomètres de voies ferrées, contre 6 000 pour l'Angleterre et 5 000 pour l'Allemagne. Ses banques n'ont pas encore le niveau de celles d'Europe du Nord, son agriculture demeure très archaïque. En revanche, les routes sont en large partie goudronnées, les canaux ont été modernisés et la marine est en train de changer, s'équipant de clippers, grands navires à voiles rapides, capables de réaliser les échanges transatlantiques. Mais il reste à y adapter les ports. Le Français de 1848, dans ses modes de vie, est très éloigné de celui de 1790 comme de celui de 1910. Dans ces cent quarante ans d'évolutions économiques majeures, le régime de Louis-Philippe est un point d'étape, qui oscille entre persévérance des archaïsmes et accélération de la modernisation.

La liberté pensée, la liberté appliquée

Les vainqueurs effacent les vaincus. Parce que la monarchie de Juillet fut brutalement renversée en février 1848, son personnel politique fut disqualifié et n'eut plus accès aux affaires. Finis Guizot, Molé, Broglie et Passy. Le temps était venu pour d'autres. Parce que le Second Empire se voulait d'un autoritarisme exécutif, on oublia le temps du parlementarisme tempéré. Louis-Philippe a réussi cette synthèse d'un Parlement composé de deux chambres et exerçant le pouvoir législatif, duquel le pouvoir exécutif ne saurait procéder. Il se voulut chef de l'État, placé au-dessus des partis. Ni roi qui règne, mais ne gouverne pas, ni monarque absolutiste, mais roi des Français, représentant la nation, héritier de la longue histoire de France, fixant les caps de l'avenir et laissant à ses gouvernements et à son Parlement le soin de définir les actions quotidiennes. Cette monarchie de Juillet a beaucoup à voir avec la Ve République et la façon dont Louis-Philippe conçoit l'équilibre des pouvoirs est très proche de la vision du général de Gaulle exprimée dans le discours de Bayeux (1946). Durant ces presque vingt ans, la France a fait l'expérience politique d'un régime parlementaire chapeauté par un exécutif crédible. Louis-Philippe Ier a réussi ce que tenta Louis XVI à partir de 1790. Après lui, nous eûmes l'empire personnifié par un homme, Napoléon III, puis un long régime où la Chambre instable occulta le chef de l'État, s'embourbant dans l'instabilité parlementaire et la fragilité des gouvernements. En 1958, de Gaulle a renoué avec la tradition d'équilibre des autorités interrompue en 1848.

LA LIBERTÉ OUBLIÉE

Parce que les vainqueurs effacent les vaincus, le libéralisme dont les hommes de Juillet s'étaient parés eut mauvais souvenir. Les socialistes crurent prendre le pouvoir en février 1848, avant que la république bourgeoise ne mette un terme à ces expériences lors des journées répressives de juin. Les réactionnaires, pour qui l'histoire de France s'arrête en 1789, déclarèrent une lutte à mort contre les libéraux, accusés de toutes les dérives et de tous les maux s'abattant sur le pays. Le libéralisme était le mot magique permettant d'expliquer pourquoi tout allait mal. D'une certaine façon, il l'est encore. En 1870, les légitimistes préférèrent s'allier avec les républicains, pourtant très éloignés de leurs idées, pour empêcher une restauration orléaniste. La haine de la liberté explique certains moments clefs de notre histoire. Sur bien des aspects, les idées libérales ont gagné. La liberté de la presse est aujourd'hui reconnue de même que la liberté politique. Mais cette liberté n'est jamais définitive. Que vaut une presse qui vit essentiellement des subventions de l'État ? Que vaut la liberté politique quand, au nom de la sécurité, on restreint les libertés fondamentales, on introduit l'état d'urgence dans le quotidien, on contrôle les sites internet et les conversations ? Les libéraux ont toujours considéré que la liberté était la meilleure façon d'assurer la sécurité. Aujourd'hui, on promeut la sécurité contre la liberté. Bastiat a lutté pour la liberté scolaire, que ce soit dans le primaire ou dans le supérieur. Il a toujours attaqué le monopole du baccalauréat, institué par Napoléon en 1808. Ce monopole a disparu en 1875, avant d'être rétabli par Jules Ferry en 1879. En contrôlant la collation des grades universitaires, l'État a aseptisé la pensée et créé un conformisme intellectuel préjudiciable à une recherche pluraliste. Les libéraux ont encore beaucoup à faire pour défendre cette liberté.

LAISSEZ-PASSER

Le libre-échange fait l'objet de vives passes d'armes à la Chambre et dans les publications. Contre les maîtres de forges, qui demandent à l'État de les protéger pour maintenir leurs privilèges, contre la paysannerie, qui craint l'arrivée de produits étrangers, les libéraux se placent du côté des consommateurs qui ont tout intérêt à avoir des produits au meilleur prix et de la meilleure qualité possible. Pour le développement économique de la France, le libre-échange est aussi un facteur de progrès. Napoléon III, sur ce point-là, a repris une partie de leur programme, notamment en signant un traité commercial avec l'Angleterre (1860). Mais la IIIe République est revenue aux tarifs et aux protections avec Jules Méline, pour des raisons électoralistes. La démocratie sombre dans le clientélisme et l'achat de voix. C'est la mise en pratique de la théorie des choix publics, démontrée par James Buchanan dans les années 1970. Dans ce libre commerce défendu par les penseurs libéraux émerge l'idée de la confiance à l'égard des hommes. C'est une anthropologie fondée sur l'ordre spontané, c'est-à-dire sur le fait qu'en laissant faire les gens, ceux-ci finissent par mettre en place une société juste et harmonieuse, tournée vers le bien commun. À l'inverse, les penseurs socialistes sont adeptes du constructivisme. Ils pensent la société idéale, telle qu'elle devrait être selon leurs vues, et ils font tout pour l'appliquer aux autres, en dépit de leurs refus ou de leurs adhésions. Cette confiance dans l'homme, cette croyance dans l'ordre spontané de la société aboutissent à la création d'une société de paix et de liberté. C'est ainsi qu'à rebours de beaucoup de leurs contemporains, les libéraux se sont engagés dans l'édification de mouvements pacifistes et pour l'abolition de l'esclavage.

LA LIBERTÉ, C'EST LA PAIX

Le commerce et les échanges encouragent la paix entre les hommes parce que ceux-ci comprennent que par lui ils peuvent obtenir de façon pacifique et moins chère ce qu'ils obtenaient autrefois par la guerre. Le commerce est facteur d'harmonie entre les peuples parce qu'il invite à la coopération et à l'entente. Diffusé à l'intérieur d'un pays puis à l'international, il amène les populations à mieux se connaître, à se comprendre, à avoir des intérêts communs par-delà les dissensions qui peuvent naître entre elles. Le commerce comme facteur de paix est une idée qui a été beaucoup moquée par les antilibéraux. Il est vrai que c'est oublier la guerre économique, laquelle est une réalité dont on ne peut faire abstraction. Mais aujourd'hui, ce sont bien les pays avec lesquels nous avons le plus de relations commerciales avec qui nous sommes en paix et dont la guerre apparaît comme impossible. L'anglophilie des libéraux de Juillet les a amenés à œuvrer pour la réconciliation avec Londres. Ce fut chose faite grâce à Louis-Philippe et à Victoria. Après la guerre de Cent Ans et les guerres napoléoniennes, en dépit des rivalités en Orient, en Méditerranée et en Belgique, les deux pays n'ont plus connu la guerre. Cette réconciliation est tout aussi remarquable que celle qui fut effectuée un siècle plus tard avec l'Allemagne. Il reste encore, heureusement, le rugby et le Tournoi des Six Nations pour étancher les rivalités franco-anglaises. Victor de Broglie et Hippolyte Passy furent d'ardents défenseurs de la paix et modérèrent les tentations bellicistes de leurs contemporains. Le neveu d'Hippolyte, Frédéric Passy, libéral comme lui, a consacré sa vie à la défense de la paix et à l'entente entre les nations, au point de devenir le premier lauréat du prix Nobel de la paix en 1901.

ABOLITION ET IMPÉRIALISME

Cette recherche de la paix amène les libéraux à s'engager pour l'abolition de l'esclavage et de la traite négrière. Passy et Broglie fondent en 1834 la Société française pour l'abolition de l'esclavage, active jusqu'en

1848, c'est-à-dire jusqu'au moment où ses buts furent atteints. Les vingt-sept membres fondateurs de la société sont tous des libéraux convaincus. On y retrouve notamment Victor Destutt de Tracy, Charles de Rémusat et Alphonse de Lamartine. Par des pétitions, des adresses à la Chambre, des congrès et des propositions de loi, la société fait avancer la cause abolitionniste en France. Selon Passy, le roi est favorable à l'abolition, mais il maintient le *statu quo* afin de ne pas se mettre à dos les députés conservateurs qui y sont attachés. La société profite ensuite de l'installation d'un gouvernement provisoire en février 1848 pour promulguer l'abolition et mettre un terme à la traite.

Les libéraux sont également actifs contre la colonisation et l'impérialisme. On discute déjà d'une colonisation de l'Afrique et de l'Asie qui ne voit le jour que sous la République et Jules Ferry. Les arguments des libéraux de Juillet ont été repris au moment de la décolonisation. Les colonies sont un gouffre financier qui empêche le développement du pays, elles créent des tensions inutiles entre les Européens, entraînant le risque d'une guerre, et les Européens n'ont pas vocation à exporter leur culture de façon coercitive chez les autres peuples. C'est l'application, dans l'ordre international, du laisser-faire et de l'ordre spontané. Rien n'est donc plus contraire à la réalité des faits que d'assimiler le libéralisme et la colonisation. Cette génération de libéraux n'a pas eu d'héritiers intellectuels et politiques. Avec l'Empire puis la République, leurs idées s'effacent, d'autres logiques entrent en jeu : monarchie et république, lutte des classes et communisme. Étant pour la plupart héritiers de vieilles familles françaises disparues sous l'effet des transformations économiques, ayant connu, dans leur enfance, les affres de la Révolution, la génération libérale de Juillet a correspondu à un moment de l'histoire culturelle française. Cent cinquante ans plus tard, il est temps de les redécouvrir. Leurs combats sont les nôtres.

Conclusion

Une parenthèse vite refermée

Nonobstant l'épisode révolutionnaire de février 1848 qui a voulu établir le drapeau rouge et édifier une république sociale, la réflexion libérale s'est poursuivie jusque sous le Second Empire. Dès le mois de juin 1848, le gouvernement sifflait la fin de l'anarchie et des chimères socialistes, Adolphe Thiers reprenait les affaires en main, Alexis de Tocqueville pouvait s'occuper des Affaires étrangères et Alfred de Falloux de l'école en renforçant la liberté de celle-ci. Les premières années du Second Empire furent autoritaires sur le plan politique, mais libérales sur le plan intellectuel et économique. Napoléon III signa un traité de libre-échange avec l'Angleterre en 1860, traité négocié par Michel Chevalier pour la France et Richard Cobden pour l'Angleterre. Victoire des saint-simoniens et des conceptions libre-échangistes, ce traité assura l'essor commercial et industriel de la France. La liberté économique eut une influence sur la politique puisque Napoléon III assouplit les règles de sa Constitution, de sorte qu'en 1869 l'Empire pouvait se dire libéral. C'était aussi la victoire des idées portées par le courant saint-simonien, qui a fortement contribué à réformer la France.

LA IIIe RÉPUBLIQUE FERME LA PORTE AUX LIBÉRAUX

La véritable rupture arrive avec la IIIe République. On peut dater de 1879 la fermeture de la parenthèse libérale, lorsque Jules Ferry supprime les libertés universitaires en imposant le monopole de la collation des grades. L'université n'est plus libre vis-à-vis de l'État et elle en paye encore aujourd'hui les conséquences. Puis vinrent les lois scolaires des années 1880, lois de nationalisation de l'école qui ont marqué une rupture quant à la liberté scolaire accordée par les lois Guizot (1833) et Falloux (1850). C'en est fini de la liberté scolaire puisque le monopole étatique est établi. On en revient à une conception autoritaire et monopolistique de l'école, celle déjà défendue par Danton en 1793 : « Les enfants appartiennent à la République avant d'appartenir à leurs parents. » Une conception bien éloignée des principes libéraux ardemment défendus par Bastiat dans son opposition au monopole scolaire : « Tous les monopoles sont détestables, mais le pire de tous, c'est le monopole de l'enseignement. »

Après la liberté scolaire, c'est la liberté économique qui fut remisée. L'accord de libre-échange de 1860 fut dénoncé en 1892. Le gouvernement établit alors une série de mesures protectionnistes visant à protéger la paysannerie, base sociale du nouveau régime. Faussement protégée par ces murs fiscaux, la paysannerie française connut un long déclin dont elle ne sortit que dans les années 1950, sous la marche forcée de la mécanisation et de la productivité. Il en alla de même en matière fiscale. L'impôt ne fut plus compris comme une contribution partagée au budget de l'État, mais comme un moyen de redistribution sociale et de construction de la société. Cela culmina avec l'établissement de l'impôt sur le revenu par les lois Caillaux de 1914 et 1917, qui eut pour conséquence de permettre un contrôle absolu de l'État sur sa population. Un siècle plus tard, la France est l'un des pays d'Europe où le jour de libération fiscale est le plus tardif. Alors que la modernisation du pays a été le fait des entreprises privées, que ce soit dans le domaine du rail, de l'énergie (électricité, charbon), de la banque et de tout le secteur industriel, la passion nationalisante s'empara du personnel politique à l'aube des années 1920. Ainsi furent nationalisées de très nombreuses entreprises privées pour créer des conglomérats étatiques dont on mesure encore aujourd'hui les dysfonctionnements structurels : SNCF, PTT, EDF, les Charbonnages de France, Renault, les banques. Entre

1936 et 1946, le pays connut une décennie de nationa-
lisations massives qui fit de la France « une URSS qui
a réussi » selon les mots de Jacques Lesourne. Si plusieurs régimes politiques ont pu se succéder durant cette
décennie, l'appareil administratif fut inchangé, indépendamment des modifications politiques. L'exemple
majeur est celui de la nationalisation des caisses de
mutuelle. Ce projet est porté par plusieurs fonctionnaires dès les années 1930, ceux-ci rédigeant les textes de
loi pour le mettre en vigueur. La création de la Sécurité
sociale commence sous le régime de Vichy et se termine
sous le gouvernement des communistes en 1945, portée
par les mêmes fonctionnaires qui ont occupé les postes
stratégiques au cours de ces dix ans.

L'ACCEPTATION DE L'ÉTAT-PROVIDENCE

La mise en place de l'État-providence, défendu par le
rapport de William Beveridge en 1942, a touché tous
les pays d'Europe, y compris la France. L'Angleterre sut
en sortir dans les années 1980 grâce aux réformes éner-
giques de Margaret Thatcher. Le pays était ruiné, en
faillite et placé sous tutelle du FMI. Il fallut une dizaine
d'années pour apporter les réformes libérales essentielles
assurant le retour du travail, le recul de la pauvreté et
le développement des entreprises anglaises. Si la France

privatisa à son tour massivement à partir de 1983 et le tournant de la rigueur, ce fut toujours en disant qu'il fallait sauver l'État-providence et un système social que « le monde entier nous envie », selon la formule consacrée, mais que l'on ne voit pourtant copié nulle part. La mise en place d'un État socialiste sous couvert d'État-providence était le chemin emprunté par la route de la servitude. Friedrich Hayek, alors quasiment inconnu, fut l'un des premiers à combattre cette route de la servitude, en reprenant les réflexions développées par Alexis de Tocqueville. Son livre publié en 1944 fut un succès dans le monde anglo-saxon, alors qu'il est encore presque inconnu en France. Au même moment, c'est un autre penseur anglais qui combattit les dangers d'un État tout-puissant, Clive Staples Lewis. Mieux connu pour ses chroniques de Narnia, ce professeur de littérature médiévale à Oxford publia en pleine Seconde Guerre mondiale un bref essai, *L'Abolition de l'homme*, où il démontra que les régimes démocratiques qui combattaient le nazisme étaient porteurs d'une servitude potentielle pouvant les rendre aussi dangereux que les régimes qu'ils combattaient alors : « Au moment de la victoire de l'homme sur la nature, on constatera que l'humanité tout entière est assujettie à certains individus et que ces derniers sont eux-mêmes soumis à ce qui est purement naturel en eux, c'est-à-dire à leurs pulsions irrationnelles. » C'est cette irrationalité dont se nourrit le socialisme pour imposer son idéologie et sa servitude de l'homme, une irrationalité qui semble plus forte que la rationalité libérale.

LA PASSION FRANÇAISE POUR LE SOCIALISME

Il reste à l'historien français à répondre à cette interrogation non encore résolue : comment la quasi-totalité de la classe intellectuelle française a pu défendre de très près ou d'un peu plus loin le système communiste ? Que ce soit Staline, Mao, Castro, Chávez ou Maduro aujourd'hui, on reste confondu par les panégyriques de toute une armée de professeurs d'université, d'écrivains et de journalistes pour défendre le communisme sous toutes ses formes. Ils étaient peu nombreux autour de Raymond Aron pour dénoncer l'opium des intellectuels et défendre la liberté de l'homme et de la personne face au système concentrationnaire socialiste. Le plus grave peut-être est que la droite française elle-même a fait siens l'État-providence et la social-démocratie, les défendant ardemment aujourd'hui. Là réside l'impasse actuelle de cette famille de pensée incapable de réfléchir autrement qu'en reprenant les idées du camp opposé. Les penseurs de la monarchie de Juillet ont écrit des textes stimulants et développé une véritable réflexion. Ils sont aujourd'hui pour la plupart oubliés en France et presque pas étudiés. Qui parle encore de François Guizot quand le courant socialiste continue de s'inspirer de Barbès et de Proudhon ? Tocqueville n'est quasiment pas étudié dans les lycées et les universités et encore moins Bastiat. On n'ose imaginer un dirigeant de la droite française les citer dans ses discours. Il est vrai qu'à la Sorbonne, un amphithéâtre porte le nom de Turgot et un autre celui de Guizot, mais les étudiants qui les fréquentent ne savent probablement pas qui ils sont. Alors que la France a une très forte et très riche tradition d'auteurs libéraux, du XVIIe siècle jusqu'à aujourd'hui, ceux-ci ont été évacués de la réflexion et des publications. Dans un pays où l'État-providence et la social-démocratie sont acceptés par l'ensemble des partis politiques, l'école libérale française est inexistante. Cette passion égalitaire s'accompagne d'une acceptation de la servitude et du non-respect des libertés fondamentales. Comme l'expliquait déjà Tocqueville, la route de la liberté mène à l'égalité, mais la route de l'égalité mène à la servitude.

CLASSIFICATION POLITIQUE

Pour des raisons électorales, la vie politique française est structurée autour de deux pôles, la gauche et la droite. Ces pôles ne sont pas des familles de pensée, mais des coalitions électorales. Selon les époques, on a pu trouver à gauche des monarchistes parlementaires, des républicains plus ou moins radicaux, des socialistes, des écologistes, des communistes... Il en va de même pour la droite, qui n'est pas une famille homogène, mais un regroupement intellectuel composite à visée électorale. Avec ces deux pôles de classification électorale, la vie politique française est structurée autour de trois familles de pensée : les réactionnaires, les révolutionnaires et les libéraux. Cela a été clairement mis en valeur par Philippe Nemo dans son *Histoire des idées politiques* (2008), dont nous reprenons ici les principales conclusions.

Les réactionnaires croient à la supériorité des ordres naturels. Ils prônent un retour vers l'ancienne société féodale, agricole et artisanale. Ils veulent échapper à la société actuelle en revenant en arrière, c'est-à-dire avant le moment où s'est engagée l'évolution qu'ils jugent néfaste. Certains de ces penseurs sont donc prêts à renoncer au progrès, même scientifique et technique, et à tout ce qu'il apporte parce qu'ils estiment que cela se révèle *in fine* néfaste pour l'homme. La société dont ils rêvent n'a jamais existé, ils sont dans une uchronie perpétuelle, c'est-à-dire un temps qui n'existe pas et qu'ils mythifient largement. Ils croient au mythe de l'âge d'or, à l'homme providentiel, à un pays fait de corporations et à la supériorité des valeurs de la guerre et des vertus militaires.

Les révolutionnaires croient eux à la supériorité des ordres artificiels, qui doivent être bâtis par les hommes, et qui s'accomplissent dans l'utopie, c'est-à-dire le lieu qui n'existe pas. Ils veulent échapper à la société ouverte non par une réaction mais une révolution. Celle-ci va vers une fuite en avant perpétuelle. Il s'agit de rompre avec le passé, d'en faire table rase, pour édifier quelque chose qui n'a jamais existé, qui rompt à la fois avec la nature et la culture, à savoir le socialisme organisateur et planificateur. Ils se font une idée de l'homme et veulent mettre la politique au service de la construction de cette idée, ce qui passe par la planification et le collectivisme.

Ces deux systèmes de pensée peuvent paraître opposés, mais ils sont en fait assez liés sur des points importants, notamment dans leur refus de la société ouverte. Ils ont la vision d'une société fermée, communautaire et holiste, où le groupe l'emporte sur l'individu et où les rapports humains sont intangibles. Tous les deux rejettent l'ordre spontané et la liberté des personnes. Les réactionnaires préfèrent la corporation, les révolutionnaires le collectivisme. Certes, la droite se reconnaît plutôt chez les réactionnaires et la gauche davantage chez les révolutionnaires, mais toutes deux vouent un culte commun à l'État, alors vu comme la garantie de la protection de la société et du salut des hommes.

Les réactionnaires refusent le progrès, notamment technique et scientifique. Comme ils croient en l'ordre éternel des choses, ils rejettent souvent les intellectuels ou les théoriciens, car ils ne comprennent pas leur utilité.

Les révolutionnaires se disent progressistes mais, comme ils veulent détruire les structures qui permettent le progrès social, leur progressisme n'est que vain mot.

Les libéraux forment la troisième famille intellectuelle. S'il y a une grande diversité parmi eux, ils se retrouvent sur des points essentiels. Le libéralisme se fonde sur l'ordre spontané, l'idée que du chaos peut naître l'ordre et que les hommes parviennent à s'organiser par eux-mêmes, sans intervention supérieure pour les contraindre. Ils accordent la primauté à la personne, qui est le fruit d'une histoire et d'une culture données, mais qui n'est pas attachée à vie à cette histoire comme dans les sociétés holistes. Ils veulent fonder la société sur le droit, le respect du droit naturel dont le premier d'entre eux est la propriété privée. Enfin, ils développent le principe de subsidiarité, à savoir que les communautés humaines doivent faire elles-mêmes ce qu'elles peuvent faire et que l'État n'intervient que s'il y a incapacité manifeste à s'organiser. C'est le cas notamment pour les écoles ou les mutuelles : celles-ci sont mieux gérées et elles sont plus efficaces quand elles sont le fruit non pas de la planification de l'État mais du secteur privé. Les libéraux n'ont pas peur du progrès technique, comprenant que celui-ci est le fruit de la productivité et de l'inventivité de l'homme et qu'il permet l'amélioration des conditions de vie, la réduction de la pauvreté, et donc une partie du bonheur humain.

C'est dans cette structuration politique que réside peut-être l'une des explications de l'effacement du libéralisme. Réactionnaires et révolutionnaires sont certes opposés sur de nombreux points, mais ils se retrouvent dans le refus de l'ordre spontané, du respect du droit et de la primauté de la personne sur les systèmes. Ordre spontané, droit et personne sont des éléments complètement contradictoires avec leur système de pensée. Faire cause commune contre les libéraux est donc une façon d'éviter que leur propre système de pensée ne soit subverti. Tous les deux acceptent l'État-providence et la social-démocratie, même si c'est pour des raisons différentes. Tous les deux veulent utiliser les leviers de l'État pour modeler et façonner la société à leur guise. Dans ce phénomène typique du bouc émissaire qu'a très bien mis en valeur René Girard, deux ennemis deviennent amis afin d'éliminer celui dont la pensée sape leurs fondements. L'alliance des réactionnaires et des révolutionnaires est une constante de la vie politique française. Dans les années 1870, les légitimistes se sont alliés avec les républicains pour empêcher que les orléanistes ne récupèrent la Couronne et que leur candidat puisse monter sur le trône de France. De prime abord, on aurait pourtant pu penser que les monarchistes allaient s'allier contre les républicains. Il en va de même aujourd'hui dans la défense du monopole de la Sécurité sociale et de l'Éducation nationale, dans la persistance d'une dizaine de chaînes de télévision d'État, dans le *statu quo* sur le logement social ou la fiscalité. Attaquer et caricaturer le libéralisme en faisant croire que la France est un pays ultra ou néolibéral est une façon de prolonger un système social qui rapporte à ceux qui le défendent, mais qui provoque pourtant injustices, spoliations et malheurs à une grande majorité de la population.

QUAND LA DROITE DÉFEND LE PROGRAMME DE GEORGES MARCHAIS

Le métier d'historien consiste à étudier les textes et à les replacer dans leur contexte d'élaboration. À partir de là, il est possible d'établir des comparaisons parfois surprenantes, comme celle qui conduit à se rendre compte que la droite des années 2010 défend une grande partie du programme économique du communiste Georges Marchais. En 1981, le programme du chef du Parti communiste français est sans ambages : passage aux 35 heures par semaine payées 40. Impôt sur le revenu à 75 % et création d'un impôt sur la fortune. Retraite à soixante ans, hausse du SMIC, hausse des redistributions sociales vers les catégories bénéficiaires. À cela s'ajoute un protectionnisme intelligent : il faut produire français et lutter contre les délocalisations. Il faut également favoriser le marché national et pour cela relancer la consommation. Comme le dit Georges Marchais, « 1 % de consommation en plus, c'est 100 000 emplois créés ». Il faut aussi créer plus d'écoles et de logements, car c'est une mesure de justice sociale. Un programme résumé en une phrase : « De l'argent, il y en a. Il suffit de s'attaquer aux profits. »

Georges Marchais serait ravi de voir que quasiment l'intégralité de son programme a été appliquée : 35 heures, ISF, hausse de l'impôt sur le revenu – qui, couplé à la CSG et aux autres taxes, prélève effectivement 75 % des revenus –, augmentation constante du budget de l'Éducation nationale, obligation pour les communes d'avoir 25 % de logements sociaux sous peine de réquisition des terrains par le préfet, hausse constante du SMIC au cours des quarante dernières années, mesures protectionnistes « pour protéger nos entreprises ». Surtout, ce qui devrait faire plaisir à Georges Marchais, c'est que la droite qui fut au pouvoir durant dix années entre 2002 et 2012 n'a pas abrogé ces mesures et les a même amplifiées pour certaines. Le « ni droite ni gauche » n'est pas l'apanage d'En Marche !, mais le fait que tous les partis politiques soient d'accord pour partager la même politique sociale et économique.

ABSENCE DE DÉBAT ET D'IDÉE

Reconnaissons à la monarchie de Juillet d'avoir eu une vie politique qui était animée de vrais débats. Défendre la monarchie absolue ou la monarchie parlementaire, soutenir la liberté scolaire ou le monopole de l'État en matière d'éducation, avoir une vision réaliste ou idéaliste de la politique étrangère, autant de clivages politiques qui portent sur des sujets importants et fondamentaux. Or, cette diversité a totalement disparu aujourd'hui. Dans les années 1900, un Jacques Piou pouvait encore défendre la liberté scolaire face aux prétentions de ceux qui voulaient ériger un monopole d'État en matière d'éducation. Dans les années 1910, la droite s'opposait à l'établissement d'un impôt sur le revenu, avec des arguments philosophiques et techniques qui ont depuis lors disparu de la Chambre. Quand le général de Gaulle prononce son discours de Bayeux le 16 juin 1946, il oppose une vision des institutions radicalement différente de celle de la IVe République. Le débat d'idées existait alors parce qu'il y avait pluralité d'idées et de projets. Ce qui surprend aujourd'hui, c'est l'atonie de ce même débat. À partir du moment où la classe politique a accepté le monopole étatique en matière d'éducation et de sécurité sociale, l'imposition maximale des revenus et le principe même de la redistribution, il n'y a plus de débat parce qu'il n'y a plus d'idées divergentes. La droite d'aujourd'hui ne défend plus ni la liberté scolaire ni la liberté fiscale. Son acceptation de l'État-providence en fait un parti socialiste *bis*, qui demande seulement à différer un peu la mise en place de la social-démocratie.

Une parenthèse vite refermée

La droite, c'est la gauche avec quinze minutes de retard. Personne ne remet en cause les fondements intellectuels de l'État-providence, de la redistribution et de la suppression de la propriété privée. La droite va éventuellement discuter du taux des impôts, du seuil de logements sociaux ou de la répartition entre l'école publique et l'école privée, mais c'est pour en accepter le principe sur le fond. Qui s'oppose aujourd'hui à l'impôt sur le revenu, comme le faisait Raymond Poincaré, ou au monopole scolaire comme le faisaient Frédéric Bastiat et Jacques Piou ? Qui s'interroge sur les conditions de la légitimité du suffrage universel, comme le faisaient François Guizot et Alexis de Tocqueville ?

LE PROBLÈME POSÉ PAR LE SUFFRAGE UNIVERSEL

Pauvre Guizot, caricaturé encore aujourd'hui pour avoir conseillé à ses électeurs de Lisieux de s'enrichir par leur travail et par leur épargne plutôt que par la redistribution de l'argent commun. Guizot posait pourtant les bonnes questions au sujet du suffrage universel. Il considérait qu'il ne suffisait pas d'avoir obtenu l'âge de la majorité (vingt et un ans à l'époque) pour être en mesure de voter, mais que le droit de vote devait appartenir aux gens libres, c'est-à-dire à la fois indépendants vis-à-vis de l'État (d'où le fait d'être suffisamment riches pour payer le cens) et aussi indépendants quant à la capacité à analyser rationnellement la situation politique. Tocqueville met en garde contre le même problème, celui de la dictature de la majorité, c'est-à-dire de la masse du peuple excité par les passions et voulant imposer sa volonté contre la minorité, au détriment de la raison et de la vérité. Les penseurs libéraux des années 1830-1840 ont compris que la démocratie était porteuse d'un risque : celui de voir une majorité mal éclairée imposer sa volonté erronée à une minorité pourtant clairvoyante. La majorité n'a pas forcément raison, surtout quand elle est galvanisée par des démagogues. Leur mise en garde s'avère encore d'actualité aujourd'hui, surtout après l'histoire tragique du XX siècle. Le PCF était le premier parti de France dans les années 1950, rassemblant près de 25 % de l'électorat. Fallait-il pour autant appliquer la politique stalinienne que ses dirigeants demandaient ? Les libéraux ont bien vu le défi posé par le suffrage universel : il ne peut fonctionner que si les électeurs ont les moyens intellectuels de poser un choix rationnel. Cette question se posait en 1830 et 1848, et se pose encore aujourd'hui.

D'après les chiffres fournis par les tests de lecture opérés lors de la JDC (Journée défense et citoyenneté), 30 % d'une classe d'âge de dix-huit ans est analphabète, certes à des degrés divers. C'est-à-dire que 30 % du corps social testé a du mal à comprendre le texte qui lui est proposé, à savoir un article de journal télévisé. Ayant atteint l'âge de dix-huit ans, ces personnes sont des citoyens et ont donc le droit de voter et d'être élues. Mais si elles ne sont pas capables de comprendre un journal de télévision, comment peuvent-elles comprendre un programme politique ? Comment peuvent-elles engager un acte de vote rationnel et libre ? Si elles ne comprennent pas un journal de télévision, comment peuvent-elles comprendre le défi posé par la réforme des retraites par répartition, la question de la privatisation de la Sécurité sociale, les questions monétaires liées à l'euro, les enjeux du transhumanisme, le rôle de la blockchain pour les cryptomonnaies ? Il ne faut pas s'étonner ensuite que les candidats démagogues aient rassemblé sur leur nom plus de 50 % des voix lors des présidentielles de 2017. On voit aussi comment la liberté scolaire est un enjeu fondamental du maintien des libertés politiques. L'école d'État n'arrive pas à éduquer et à instruire la population, ce qui à terme menace le maintien de la liberté politique. La liberté ne peut perdurer que dans un pays où le peuple est éduqué et instruit, d'où le combat constant des libéraux en faveur d'un excellent système éducatif.

LE MARCHÉ LIBRE ET LA DÉMOCRATIE

C'est que le suffrage universel est en réalité régi par la théorie des choix publics, qu'un auteur comme James

Buchanan aux États-Unis a bien mis en valeur et dont la pensée fut synthétisée par Olivier Babeau dans son *Horreur politique* (2017). Les électeurs se comportent comme des consommateurs : ils font leur choix politique en fonction de leur intérêt propre, qu'ils appellent ensuite intérêt général afin de se donner l'illusion d'avoir fait un choix juste. Ils votent donc pour le candidat qui leur promet de tourner vers eux le tuyau de la redistribution sociale. Le suffrage universel dévie inévitablement vers davantage de dépenses publiques financées par la dette, c'est-à-dire par le vol des générations à naître, et vers l'accroissement de la place de l'État. Il conduit à un État partial qui confisque l'appareil public au profit de ses intérêts et de la majorité qui le soutient, et à un État obèse et parasite qui étend sans cesse son périmètre d'action au mépris des populations qu'il est censé aider et protéger. Dans une démocratie, c'est la dépense publique qui rapporte des voix, non l'économie budgétaire, surtout quand on fait payer par les générations futures les dépenses effectuées aujourd'hui. La théorie des choix publics démontre l'impasse du suffrage universel, mais aussi les voies à suivre pour en sortir par le haut. La démocratie ne doit plus être fondée sur le suffrage universel, mais sur le libre marché. De nombreuses actions aujourd'hui menées par l'État peuvent en fait être réalisées par les acteurs privés, pour un coût moindre et une efficacité plus grande. Ces compétences réalisées par le marché sont ensuite choisies par le consommateur, qui passe commande auprès de telle ou telle entreprise. Le consommateur peut se tromper, mais au moins son choix n'engage-t-il pas la société tout entière et la majorité n'impose-t-elle pas sa volonté à la minorité. C'est ainsi reconnaître la centralité de la subsidiarité. Privatiser un secteur, c'est remettre le choix entre les mains d'une personne individuelle au lieu d'établir les choix imposés par le consensus d'une ligne politique majoritaire. Le marché est plus à même de fournir une éducation de qualité qu'un ministère de l'Éducation. *Idem* pour les assurances sociales, où le trou récurrent et structurel de la Sécurité sociale devrait alerter les Français sur un système qui ne marche pas et n'a jamais marché. Personne ne songerait aujourd'hui à revenir au temps des PTT, de l'ORTF, du monopole de France Télécom, de la nationalisation des banques, d'Air France et de Renault. Personne ne songerait à interdire les radios libres, à rétablir les Charbonnages de France et les plans Calcul, ni à encourager les mairies à disposer de leur régie de ramassage des ordures et de distribution de l'eau. C'était pourtant la France des années 1980. C'est là un des cruels paradoxes français : ce sont les gouvernements socialistes qui ont mené les réformes les plus libérales en privatisant des pans entiers de l'économie. La France s'est énormément transformée et modernisée au cours des quarante dernières années.

Il reste encore beaucoup à faire. Mais même si la liberté n'est pas ce qui est demandé en premier par la population, une fois celle-ci établie, rares sont ceux qui souhaitent réellement revenir dessus. Fonder une démocratie sur le marché libre, donner la primauté à l'économie sur le politique, faire confiance aux entrepreneurs et aux innovateurs, réduire l'État à ses domaines régaliens sont des voies raisonnables à suivre pour les années à venir.

On pourra reprocher aux libéraux leur optimisme et leur croyance en l'homme et dans la libre coopération de celui-ci avec ses semblables. Mais ces penseurs de la liberté sont aussi des penseurs de la société, des relations internationales et de l'ordre du monde. Les prévisions de Tocqueville se sont toutes révélées justes. Les recommandations de Bastiat sont toujours les solutions d'aujourd'hui. Les exigences de Guizot valent encore pour notre temps démocratique. La sagesse de Louis-Philippe, soucieux de défendre le juste milieu et de concilier des Français divisés et opposés, peut encore être le programme de notre temps. La parenthèse libérale ne demande qu'à se rouvrir, pour le plus grand bonheur inavoué des Français.

Remerciements

Si un livre s'écrit seul, il est toujours le fruit de rencontres, d'échanges et de conseils.

Remerciements donc à Nicolas Beytout, directeur de *L'Opinion*, pour m'ouvrir ses colonnes et pour oser porter une information résolument libérale ; à Rémi Godeau, rédacteur en chef de *L'Opinion,* pour avoir eu l'idée de cette série d'été en 2017 et à Ronald Blunden, directeur de la communication d'Hachette Livre, pour avoir porté le projet de publication.

Remerciements aussi à Hadrien Desuin, de la revue de géopolitique *Conflits,* et à Victor Fouquet pour leur relecture attentive et leurs suggestions bienvenues pour amender et améliorer le texte ; à Damien Theillier, de l'Institut Coppet, pour son travail de publication des auteurs libéraux français, et notamment de Frédéric Bastiat. Remerciements enfin à Charles Gave et Emmanuelle Gave qui portent l'Institut des Libertés, pour que la liberté ne fasse plus peur aux Français.

Il va de soi que les idées exprimées dans cet ouvrage n'engagent que l'auteur.

En hommage au professeur Dominique Barjot qui a dirigé ma thèse de doctorat à Sorbonne Universités.

Ce livre est dédié à la mémoire de Jacques Marseille (1945-2010), professeur d'histoire économique à la Sorbonne, infatigable défenseur d'une histoire optimiste, qui a redonné toute leur place aux entrepreneurs dans l'histoire de la France.

Table des matières

Table des matières

Photocomposition PCA
Achevé d'imprimer en mars 2018
par CPI
pour le compte des éditions Calmann-Lévy
21, rue du Montparnasse 75006 Paris

**PAPIER À BASE DE
FIBRES CERTIFIÉES**

C A L M A N N
L É V Y s'engage
pour l'environnement en réduisant
l'empreinte carbone de ses livres.
Celle de cet exemplaire est de :
500 g éq. CO$_2$
Rendez-vous sur
www.calmann-levy-durable.fr

N° d'éditeur : 8015560/01
N° d'imprimeur : 2035549
Dépôt légal : avril 2018
Imprimé en France

Imprimé en France
FRHW011351241022
32505FR00001B/7

9 782702 163602